世界で一番美しい村

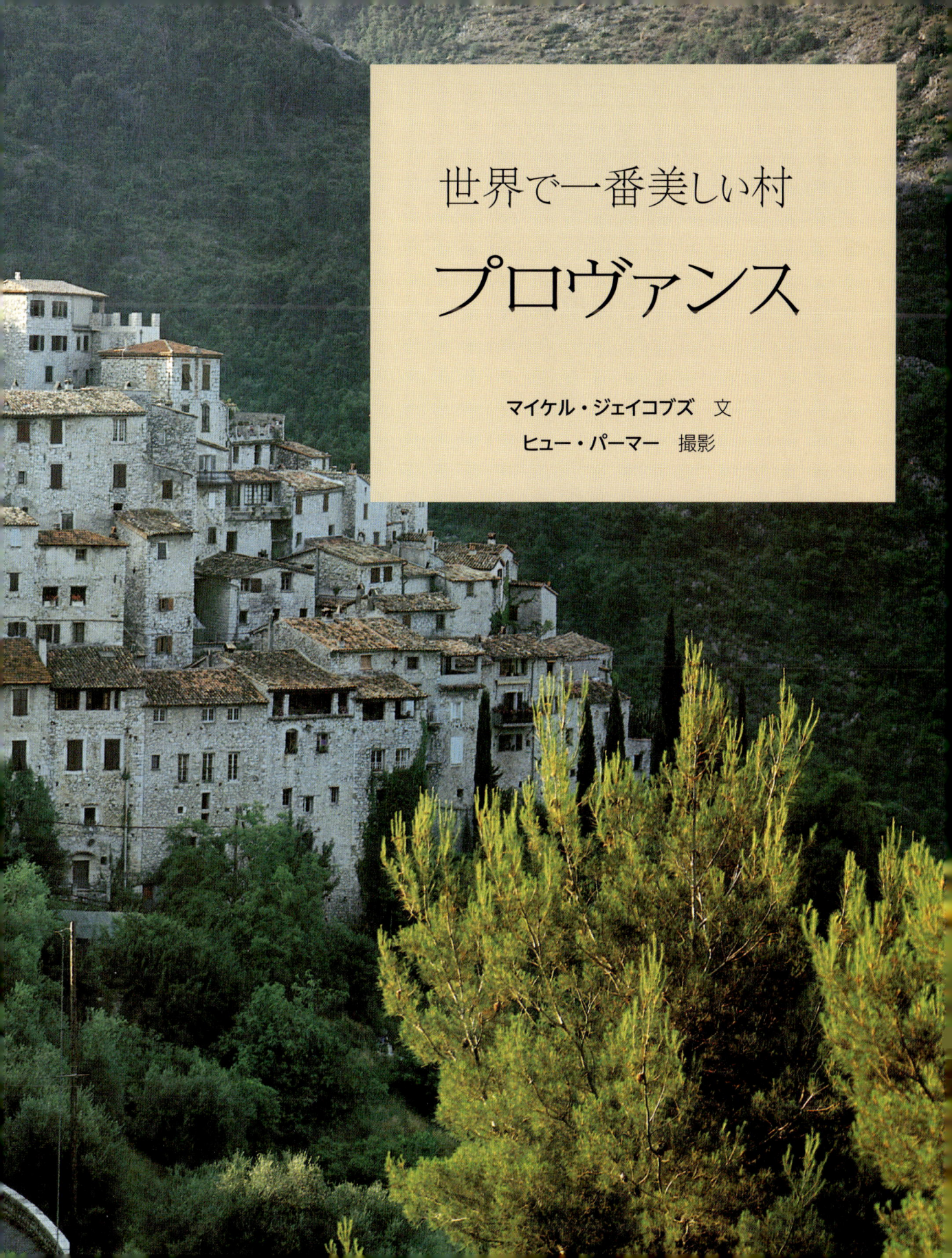

プロヴァンス

マイケル・ジェイコブズ　文
ヒュー・パーマー　撮影

p.1：アルプ・ド・オート・プロヴァンス、リエの郊外に広がるラベンダー畑。

p.2-3：アルプ・マリティーム、ペイヨンの、重なるように建つ家々。プロヴァンスにある鷲の巣村の中で最も目を引くもののひとつ。

右：ヴァール、トゥルトゥールの村。見晴らしの良い丘の上を占めている。

First published in the United Kingdom in 1994 by Thames & Hudson Ltd, 181A High Holborn, WC1V 7QX

This compact edition first published in paperback in 2012

Published by arrangement with Thames & Hudson, London,

Copyright © 1994
Thames & Hudson Ltd, London
Text © 1994 Michael Jacobs
Photographs © 1994 Hugh Palmer

This edition first published in Japan in 2013 by Gaiabooks, Tokyo
Japanese edition © GAIABOOKS

All Rights Reserved. No part of this publication may be reproduced or transmitted in any form or by any means, electronic or mechanical, including photocopy, recording or any other information storage and retrieval system, without prior permission in
writing from the publisher.

Contents

多彩な顔をもつプロヴァンスの軌跡をたどって　7

VAUCLUSE AND BOUCHES-DU-RHÔNE
ヴォクリューズ&ブーシュ・デュ・ローヌ　17

アンスイ　19／ボニュー　22／クレステ　30／ゴルド　35／ラコスト　40／
ルールマラン　47／メネルブ　50／オペド・ル・ヴュ　57／ルシヨン　58／
セギュレ　63／ヴェゾン・ラ・ロメーヌ　66／ヴナスク　73／
エガリエール　76／レ・ボー・ド・プロヴァンス　81

VAR AND ALPES-MARITIMES
ヴァール&アルプ・マリティーム　87

アンピュ　89／バルジュモン　92／コティニャック　99／
アントルカストー　105／レザルク・シュル・アルジャン　108／セイヤン　112／
トゥルトゥール　119／トリガンス　124／ヴィルクローズ　130／エズ　134／
ラ・ブリーグ　141／リュセラム　146／ペイヨン　154／
サン・ポール・ド・ヴァンス　158／サオルジュ　165

ALPES-DE-HAUTE-PROVENCE
アルプ・ド・オート・プロヴァンス　173

アノット　174／コルマール・レ・ザルプ　178／アントルヴォー　185／
リュルス　190／メアイユ　196／リエ　202

地図　210

参考文献　213

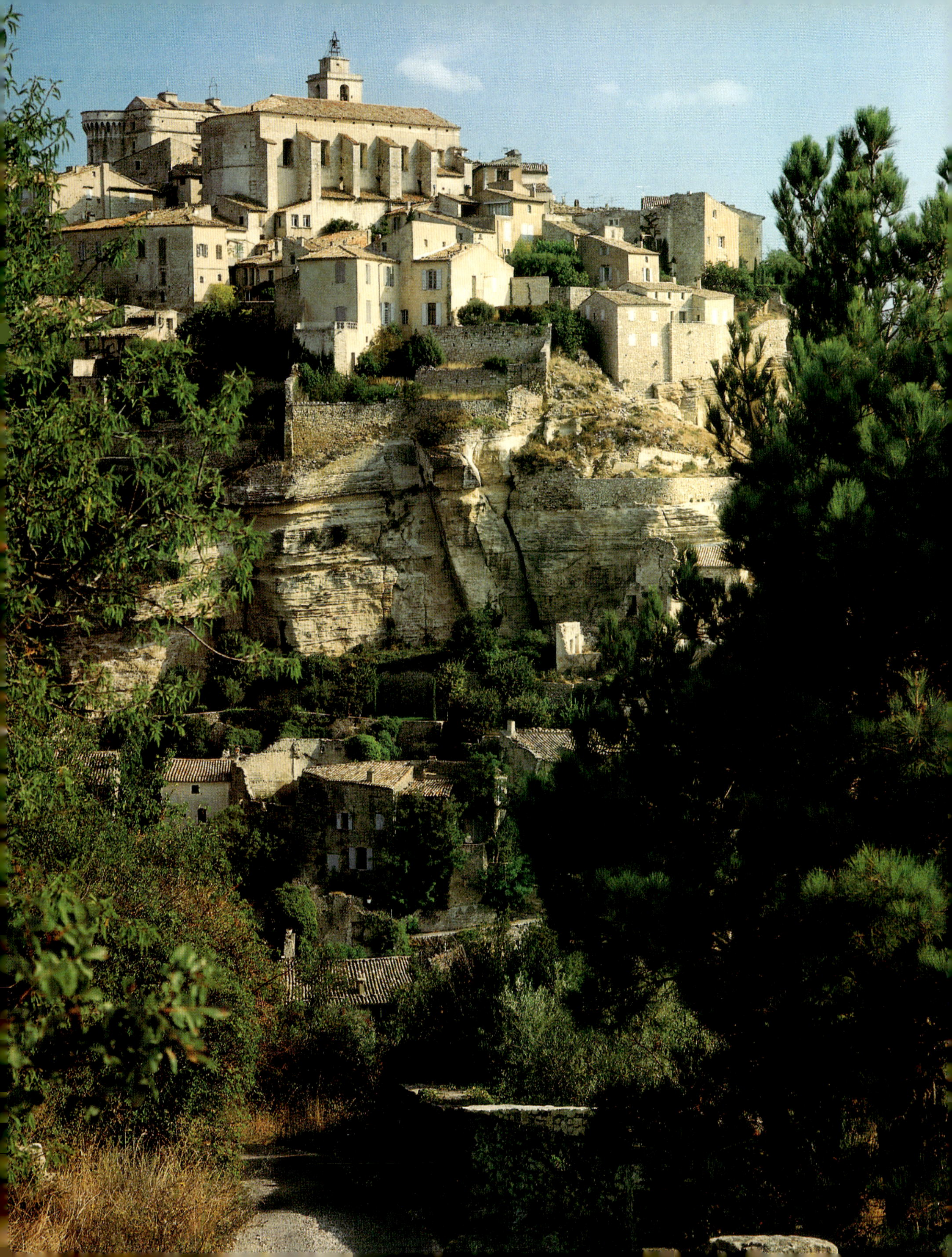

多彩な顔をもつプロヴァンスの軌跡をたどって

「プロヴァンスは、ひとつではない」フランスの作家、コレットが書いているように、ここにはいくつもの顔がある。目を見張るほどの多様な景観は、複雑な文化構造や、それにまつわる多くの歴史によって生まれたものだ。〈南への玄関口〉と称され、広大なローヌ渓谷沿いに位置することから、プロヴァンスは、地中海沿岸諸国の主要地域というだけではなく、南北ヨーロッパを文化的、商業的に結ぶという重要な役割を担っている。

ギリシャ人がプロヴァンスに入植しオリーブを栽培、それに続きケルト族、北方からも民族がやって来て、さらにローマ人も入ってきた。ローマ人は、この地に初めてイタリア国外のプロヴァンス（属州）を設け、この上なくすばらしい建築遺産を遺した。6世紀から9世紀にかけて、ムーア人が木々に覆われた山岳地帯に城塞を建てた。それは今日、レ・モールとして知られている。1277年、ローマ教皇が現在のヴォクリューズのあたりを手中に収めた後、アヴィニョンの教皇庁をイタリア文化の傑作といわれるまでにした。教皇庁は、フランス革命にいたるまで、ほかのプロヴァンスがフランス王国に併合された後もほぼ3世紀もの間、この地に残ることになる。19世紀の初め、ニースの一部が一時的にサヴォイア公国に併合されると、イタリアとの関係が強まった。

現在のプロヴァンスの正式な境界は、だいたい19世紀の終わりまでにひかれたものだ。折しも、この地域はますます歴史的重みを増してきていた。ほかの詩人らとともにプロヴァンス語の再興にかかわったフレデリック・ミストラルは、中世の王国の色彩豊かな光景と、愛を歌う吟遊詩人（トルバドゥール）に根づいたプロヴァンスを思い描いていた。後に続く世代がこの地ならではの歴史をつくり、真のプロヴァンスの境界をどこに置くかで対立してきた。例えば、妥協を許さない人の多くは、コートダジュールとそこに隣接する内陸地方、つまりヴァール川の東側をプロヴァンスに入れたがらない。真のプロヴァンスとはローマの属州、すなわち、ローヌ河の西側に広がりラングドックへと及ぶ地にほかならないと主張している。また、すべての沿岸地域をプロヴァンスとは切り離して考え

左ページ：ゴルドの教会。重厚で頑丈な控え壁にささえられている。プロヴァンスの村で特徴的な構造も当時のまま。

上：ややいかつい建造物が多い中、遊び心に満ちた噴水を見つけると心が和む。バルジュモンの愛嬌たっぷりの噴水もそのひとつ。18世紀のもので、先住民の顔と伝統的なロゼット（円花飾り）が組み合わされている。

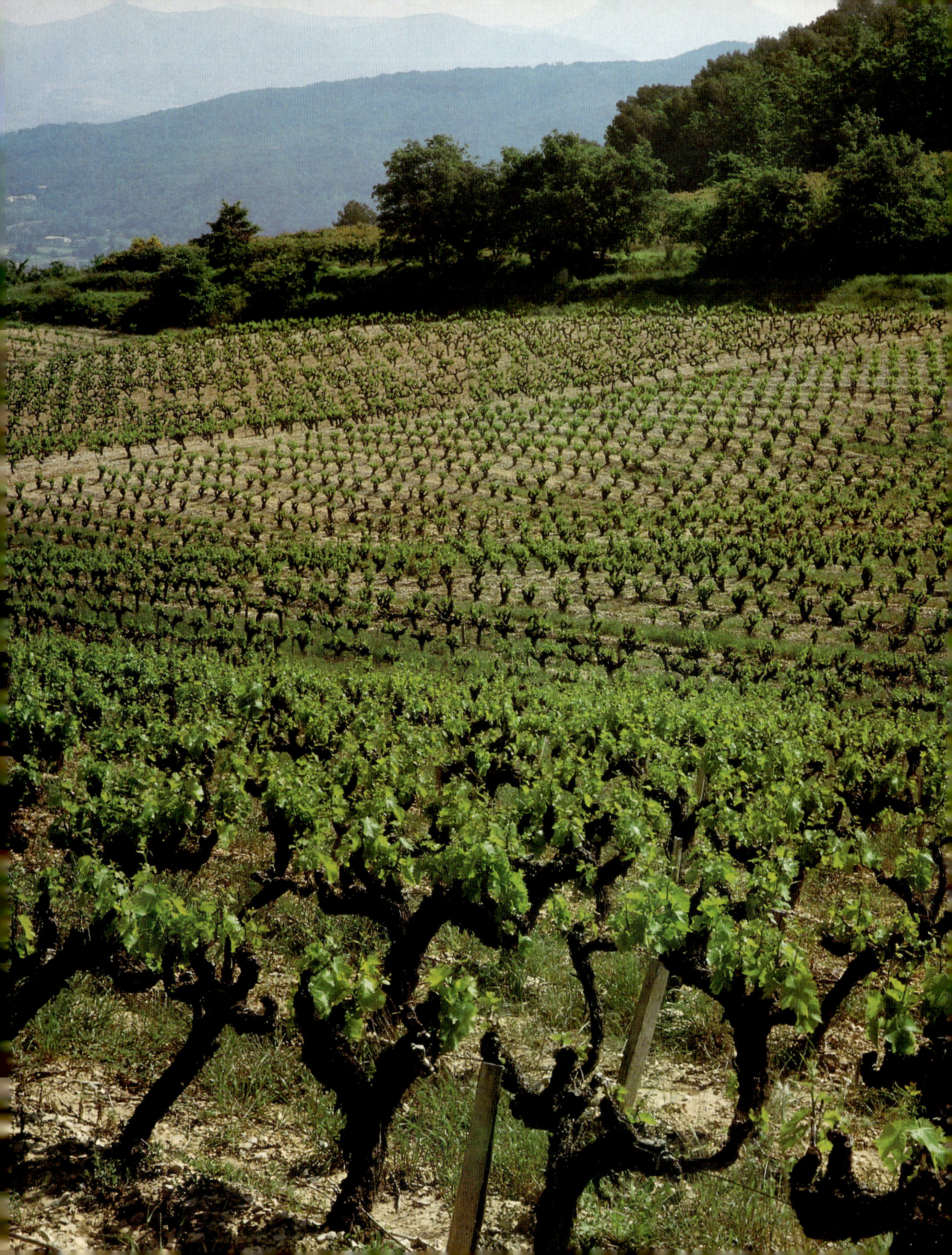

る人もいた。小説家のジャン・ジオノは、真のプロヴァンスはデュランス川の北だけだと主張した。荒涼とした風景ばかりで、快楽的な行楽地として人気を誇るプロヴァンスのイメージとは程遠い場所だ。

一部で掲げられる定義がどうであれほとんどの人は、プロヴァンスといえばマルセイユやニースのような大都市地域というより、村として捉えたがる。そしてこの村こそ、フレデリック・ミストラルが生きた19世紀から見られ、プロヴァンスの神髄を表すものだ。

プロヴァンスの並はずれた多彩さは、もちろん個々の村に反映されている。特徴も建築物も地域ごとでまったく違う。アルプ・ド・オート・プロヴァンスといった山岳地帯には、花こう岩と粘板岩の村が多い。一方、アルプ・マリティームの村には、東西方向の風景や、力強いバロック建築の教会、背が高く明るい色の家並みなどに、彩り鮮やかで華やかなイタリア的趣がある。また、今日いかにもプロヴァンスらしいとされ、主にヴァールやヴォクリューズの影響を受けている村もある。こういう村に見られる特徴は、丘の頂上の壮大な景色、褐色の瓦屋根、オリーブのような緑色の鎧戸、荒削りで、蔦に覆われた石造建築だ。より具体的な例は、厳粛なまでに素朴でほの暗い教会。鉄製のしゃれた小さい鐘楼を冠している。典型的ともいえるのは、17世紀から18世紀につくられた噴水である。ひっそりとした広場や散歩道、人の気配がない石畳の道もそうだ。だがプロヴァンスの村は現在、世界中から注目を集める一方で、19世紀後半以降の劇的な変化により伝統的な地域経済が取り返しのつかないほど打撃を受けている。

1850年代から1860年代、ミストラルが少年時代を過ごしたプロヴァンスは、経済的に非常に恵まれていた。ミストラルは晩年、プロヴァンスを振りかえり、〈田舎の楽園〉と称したほどだ。ところが1870年代から1880年代になると、製糸業や染料工業が急激に衰えたり、害虫や冷害で葡萄やオリーブの木が枯れたりと、プロヴァンスは思いがけない惨事に見舞われる。さらに、鉄道は通ったものの、内陸の地に新たな富がもたらされるどころか、多くの人が、絶え果てそうな村を捨て働き

左ページ：葡萄の木は、ギリシャ人が持ち込み、ローマ人やアヴィニョンの教皇たちが大々的に栽培した。プロヴァンスの村の背景として欠かせない。重要な収入源でもある。左の写真は、コート・デ・ヴァントゥーの真新しい葡萄園。これがローヌ河の下流地域の、定評ある由緒正しい葡萄園になっていく。
上：しゃれた鉄の鐘楼と、手の込んだ扉。プロヴァンス独特の情景の中でも、訪れた者の目をひときわ惹きつける。

多彩な顔をもつプロヴァンスの軌跡をたどって　9

口を求め、急成長中の沿岸沿いの都会へ流出してしまうこととなった。過疎化が一層進み、残った人も山を下り情報の中心である地域へ移ったおかげで、村はすっかり様変わりしてしまった。手放した家は売れないのに税金を払う気は起こらず、自分の住んでいた家の屋根を壊す人も珍しくなかった。こうして20世紀初めまでに、多くのプロヴァンスの村がゴーストタウンの様相を呈していく。

今でもプロヴァンスには、見る者の心に訴える廃村が多く残っている。例えば、ビュオーの砦やオペド・ル・ヴュのような、雄大な景色の中にあるものがそうだ。また、アルプ圏地域のリュルスのように、1950年代までの、すたれる寸前のような雰囲気を今も残している村もある。こういう村には、強烈な、一度訪れたら忘れられない魅力があるものだ。さらに、20世紀初めの偉大な作家、ジャン・ジオノにも大きな刺激を与えているのは一目瞭然である。陽気で純朴なプロヴァンスを描いたミストラルに対し、ジオノは情感的に捉え、陰気で重苦しく表現している。

プロヴァンスをより安定した見方で捉えたのは、小説家で映画作家でもあるマルセル・パニョルだ。パニョルは、晩年の作品『フロレット家のジャン』と『泉のマノン』が映画化されたおかげで、最近再び人気を博している。小説には、プロヴァンスの村の陰気な面も見られるものの、パニョルはもともと楽観的で、その作品は明るくほのぼのとしたプロヴァンスを世に広めるのに一役買っている。そこには、純朴な美しさがあり、中心となるのはワイン、リキュールの一種パスティス、祝祭日、地元の市場、そして、村人だ。

20世紀、プロヴァンスの村が大きく変わり、今日では他国からも大勢の人が訪れるのは、芸術家たちのおかげである。彼らはいち早くプロヴァンスの魅力を高く評価し、村を去る人たちが残した非常に安い土地へ移り住んだ。

今日、現代芸術発祥の地といわれることも多いプロヴァンスだが、芸術家によって最近見いだされたに過ぎない。その先駆けのひとりは、ヴィンセント・ヴァン・ゴッホ。だがゴッホは、プロヴァンス出身の作家

上：プロヴァンス特有の色づかい。伝統的な青い鎧戸とフランスの三色旗が並ぶ（ヴァール、コティニャック）。
下：弓なりの屋根瓦（ヴァール、アンピュ）が、日の光が降り注ぐ村の景観を温かな褐色に彩る。
右ページ：ヴォクリューズの村クレステのような静かな場所で聞こえるのは、ルネサンスやバロック様式の噴水から注ぐ水音。このような噴水は、村が商業的繁栄の絶頂にあった時のもの。

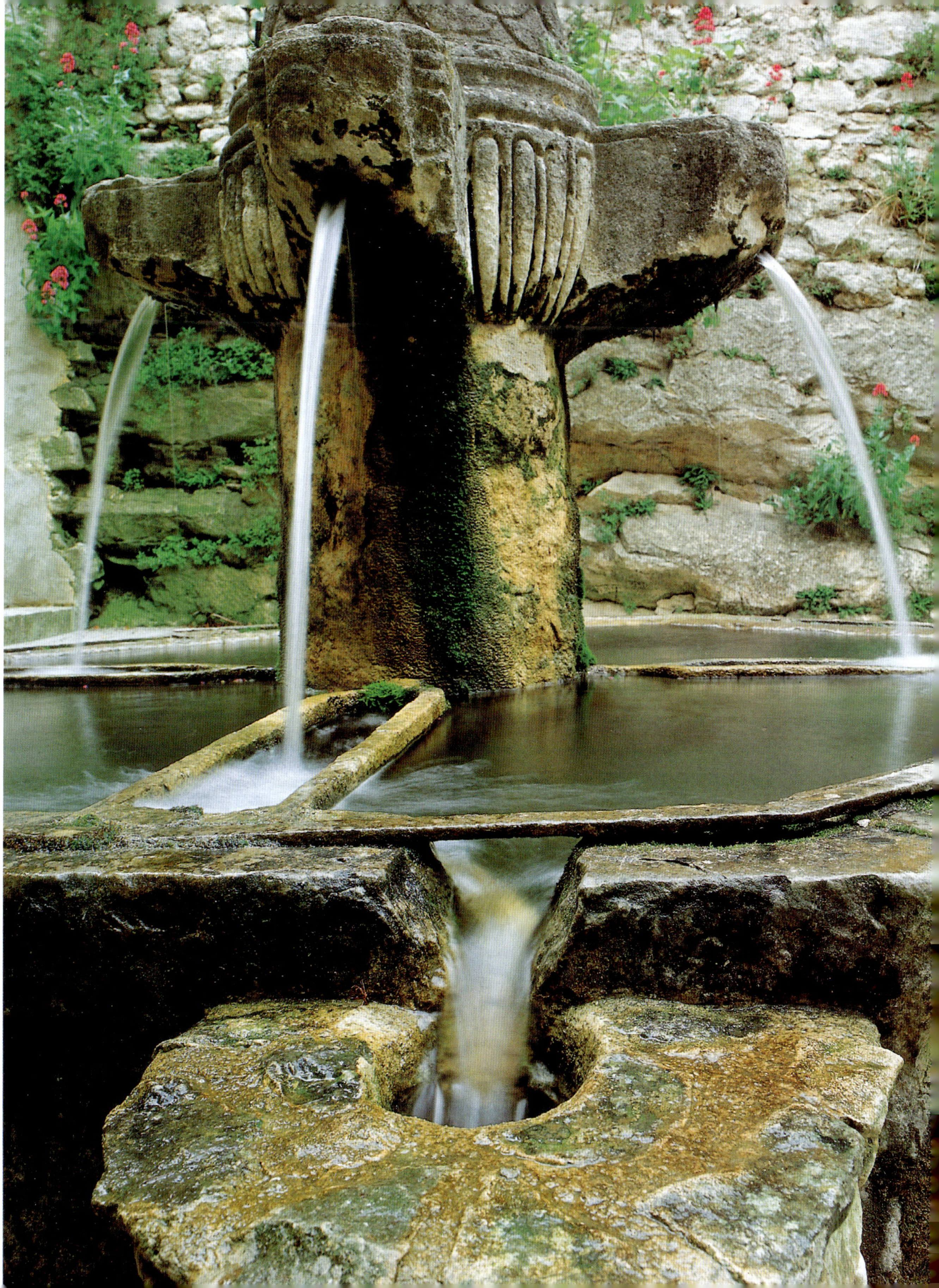

山すそで特徴的な鉄の鐘楼が、アルプスの村、ラ・ブリーグ（上の2枚）にも。岩の多い壮大な風景を映しだしたような、重厚でいかつい建造物の中に浮かび上がる。一方、アルプ・マリティーム、ラ・ブリーグにほど近い南部のサオルジュ（右ページ）では、パステルカラーの建造物に混じって、バロック式の鐘楼や、隣接するイタリアのリグーリア州に広がる山岳地帯を思わせるものも。

が誇らしげに表現した、古くからある田舎の地にさほど興味があったわけではない。村の風景を描いた最も有名な作品のひとつが、新たな灌漑計画を表す跳ね橋の絵なのを見れば、ゴッホがひねくれた思考の持ち主だということがよくわかる。

一方、静かで典型的な田舎の美しさを絵に表したのは、セザンヌだ。ゴッホと同時代の画家で、やはり変わり者だった。まぎれもないプロヴァンス育ちで名を成した画家は数少ないが、セザンヌはまさにそのひとりである。生前はあまり評価されなかったが、第1次世界大戦後ヨーロッパやアメリカ中からプロヴァンスに来て、その村や風景を明るく簡略化された力強い形で表そうとした何千もの画家たちは、セザンヌから強いインスピレーションを受けている。当時の批評家はいった。「マルセイユからヴェンティミーリアにかけては、海岸沿いにも内陸にも村はほとんどない。それでも、セザンヌを夢見る誰かがやって来て、イーゼルを立てている」と。

フランス北部や中央部の田舎では、ずっと以前から芸術家のコミュニティーが急速に増えていたが、プロヴァンスの村にもそれができ始めた。最初にできたのはコートダジュールかその内陸側、冬のリゾート地として、外国からも大勢の人が訪れる地だった。エズやムージャン、ル・カネ、トゥレット、セイヤン、そしてカーニュにも芸術家のコミュニティーができた。カーニュは、シリル・コノリーがフランス南部でのある芸術家の暮らしを書いた痛烈フィクション『The Rock Pool（岩場の水たまり）』（1936年）に出てくるモンパルナス・シュル・メールという地のモデルだ。だが、もともと芸術家が集まっていた村の中で最も活気があったのは、サン・ポール・ド・ヴァンスである。ここは後に、フランス国内で現代芸術の中心としてさらに栄えることになる。

沿岸に細長く伸びる地域や、そこに隣接した内陸地域に人が集まるにつれ、多くの芸術家が、より内陸側の奥地、特に、ヴォクリューズ、リュベロンの丘陵地帯へ移っていった。例えば第2次世界大戦中、建築家や作家、画家たちは、オペド・ル・ヴの廃村に実験的にコミュニティー

12　多彩な顔をもつプロヴァンスの軌跡をたどって

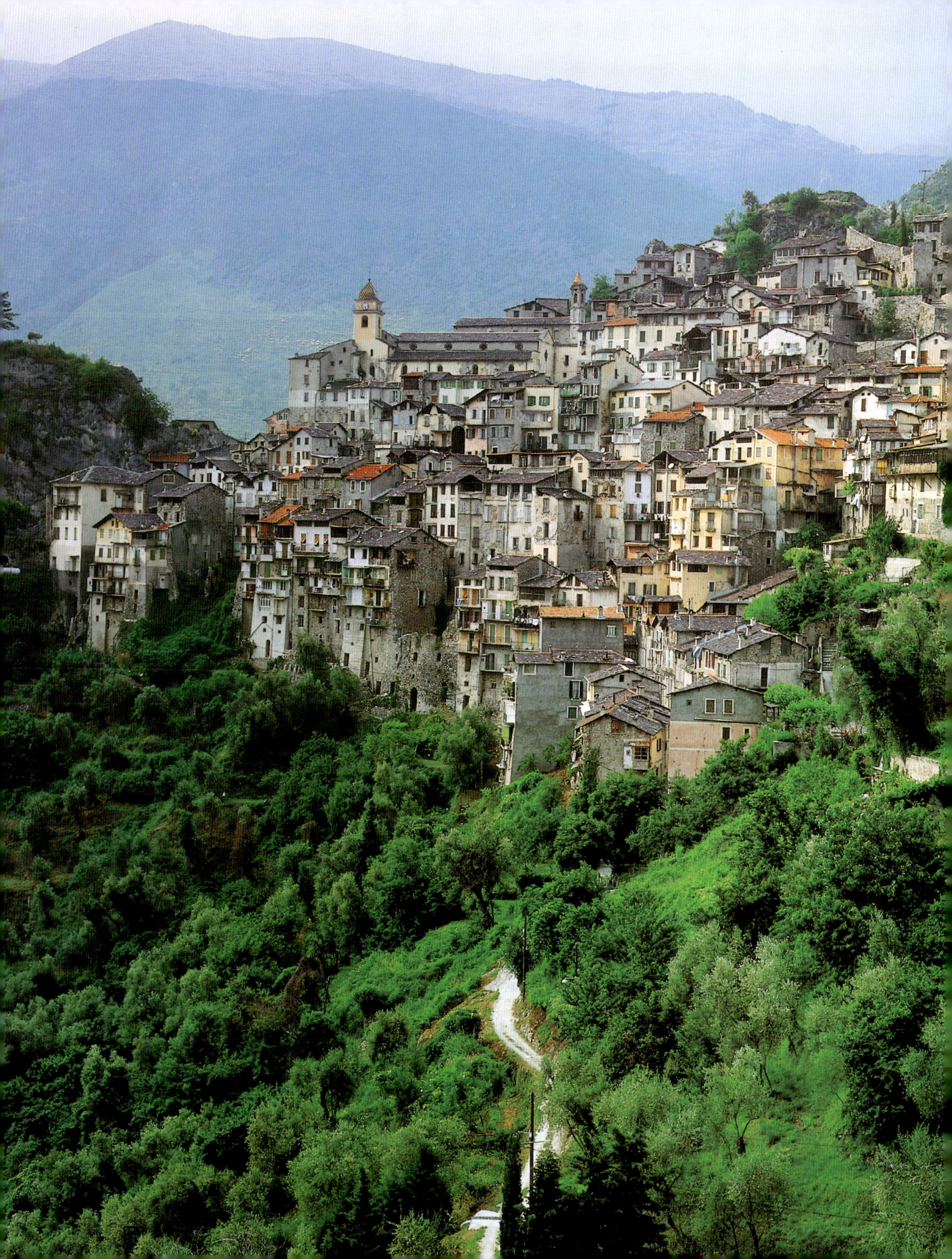

をつくった。そのすぐ後で、キュビズムの画家アンドレ・ロートやオプ・アーティストのヴィクトル・ヴァザルリをはじめとする抽象主義の芸術家たちが、ゴルドの村と交わりを持つようになった。1970年代には、アプトの村は、流行の先端を行くパリ出身の絵画好きや本好きがこぞって滞在したり定住したりしたことから、〈リュベロンのサンジェルマン〉と呼ばれるようになる。

　旅行者やよそから来て住みはじめた人も、芸術家たちの足跡をたどっていて、近年では、その関心はますますプロヴァンスの奥地へ向けられるようになった。そういった村の生活は、洗練されて理想的、刺激的な色合いが濃くなり、人びとの志向は、例えば、気取らず肩ひじを張らないものへと向かった。中でも興味深いのは、オリーブやニンニクがベースの、かつては見向きもされなかった村のありきたりな料理が流行していること。このシンプルさは、エリザベス・デビッドやM・F・K・フィッシャーといった食文化の作家にも高く評価されている。

　プロヴァンスへ移住してきた人は、この地の最も美しい村の復活に一役買うと同時に、歴史に彩られた田舎の理想像を広めることにもなっている。これらは、フレデリック・ミストラルやパルセル・パニョルのような作家が思い描いた村にも引けを取らない。プロヴァンスの〈恵まれた土地〉というイメージは、ここ数年間かつてないほど多大な効果をもたらしながら、村が持つ実際の多様さや文化的な豊かさには目が向けられていない。だが、本書の写真はプロヴァンスの村の純然たる美しさやあり方を余すところなく伝え、どのように歴史がつくられ、守られているかを教えてくれる。

上：いかにもプロヴァンスらしい建造物と対照的な、ロココ調の家。鉄細工もロココ調のものが多い。
イチジクの葉（下）のような強い色合いや豊富な自然の恵み（右ページ）も、プロヴァンスの伝統的イメージに欠かせない。

14　多彩な顔をもつプロヴァンスの軌跡をたどって

VARIETE
ORIGINE
Provence
CATEGORIE
II
CALIBRE
1 kg
16,50 F
CATEGORIE
II
VARIETE
FRANCE
CALIBRE
A
ORIGINE
1 kg
18,00 F

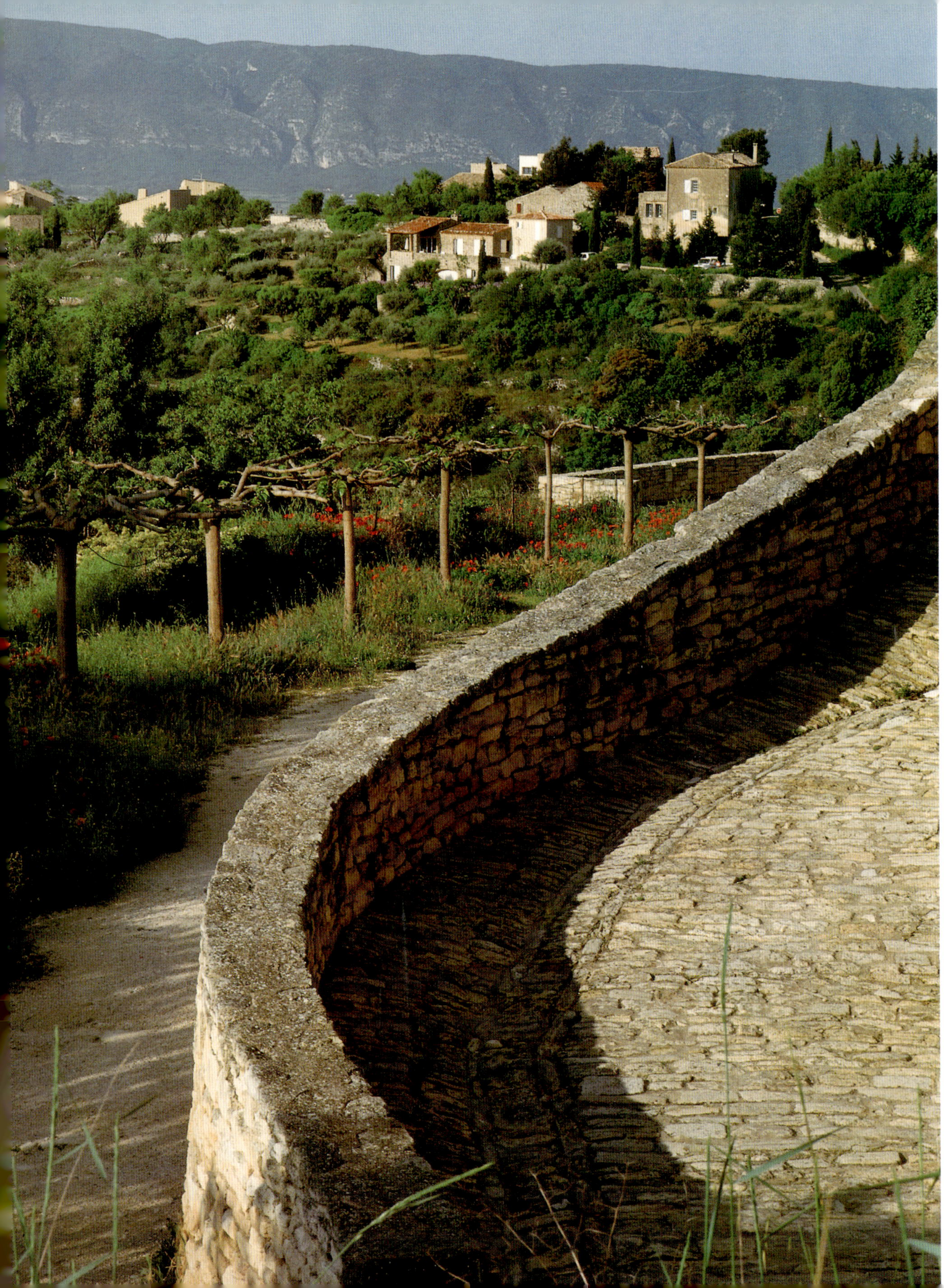

VAUCLUSE AND BOUCHES-DU-RHÔNE

ヴォクリューズ&ブーシュ・デュ・ローヌ

ヴォクリューズの位置は、
教皇領コンタ・ヴネッサンがあった場所とほぼ一致する。
コンタ・ヴネッサンの名前の由来は、旧ヴナスク伯爵領。
この地域の数ある印象的な村の中でも、ヴナスクには
建築物が特に多く残っている。
ヴォクリューズは、ローヌ渓谷沿いに葡萄畑が
広がる地域もあるものの、ほとんどが山だ。
中でも注目すべきは、雪をかぶったモン・ヴァントゥ。
アルプス山脈とピレネー山脈の間に位置する
フランス最高峰である。 ヴォクリューズ南部の、
昔から人があまりいない地域を占めるのはリュベロン山脈で、
かつて異教徒ワルドー派の信者が潜伏していたこともある。
ブーシュ・デュ・ローヌは、
プロヴァンスの歴史の要であるのはもちろん、
いわゆる文化の要でもある。
ローマ人がイタリアの外に最もすぐれた建築物を遺し、
吟遊詩人(トルバドゥール)が宮廷恋愛を歌った。
プロヴァンス伯爵領でもあり、ミストラルやゴッホ、
セザンヌやパニョルを生んだ地でもある。

左ページ：ゴルドのふもとに近い、
村はずれの石畳の道。
訪れた者を、この幾何学模様の道から
ヴォクリューズの村の中心へといざなう。
ここから、プティ・リュベロンの山脈に面した
南側がすべて見渡せる。

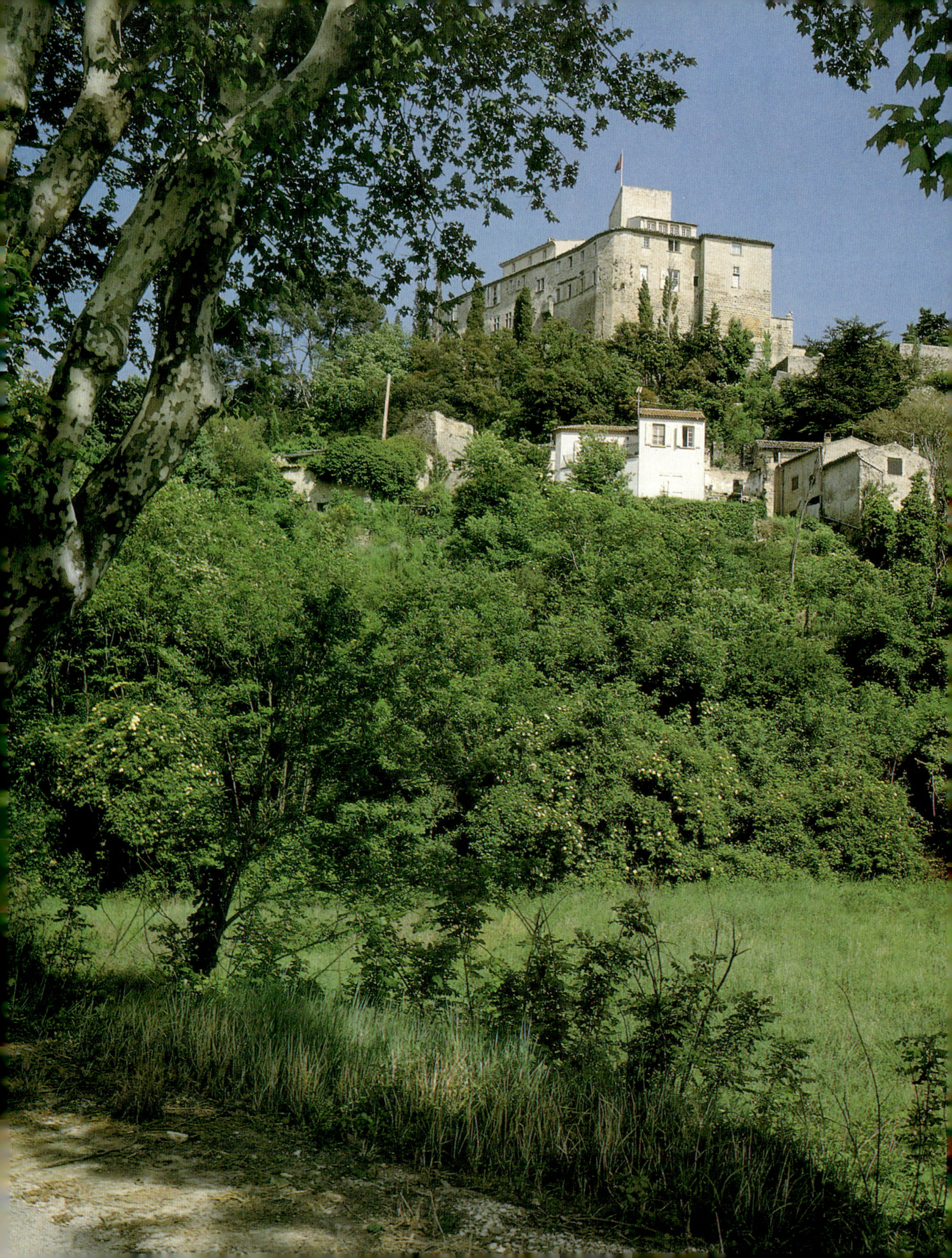

Ansouis アンスイ
VAUCLUSE

　小さな村アンスイは、リュベロン山脈の南に面した広く肥沃な田園地帯の上にある。山の起伏にまたがるきりりとした姿が美しい。村を特に印象づけているのは、堂々たる城。山の頂から、木が生い茂る北斜面を見おろすようにそびえている。

　これはプロヴァンスで最も美しい城のひとつで、領主のサブラン家に800年以上も受け継がれ、いかにも人が住んでいるといった温かみがある。ルネサンス末期の優雅な翼棟の正面には、大きな飾り壺が並ぶ日陰のテラスがあり、美しい景色を堪能できる。翼棟の後ろにあるのは、12世紀から14世紀の古い城砦だ。プロヴァンスで最も人望の厚かった聖人、エルゼアル・ド・サブランと妻のデルフィーン・ド・ピュイ―ミシェルが住んでいた。ふたりは一緒に暮らしながら決して夫婦の交わりを持つことなく、神聖な生き方を貫いた。

　城に隣接するサン・マルタン教会は、飾り気のない厳粛なロマネスク建築で、もとは城の法廷だった。

　村のふもとには、陶磁製の魚など、今風の彫刻がいくつも置かれた、Musée Extraordinaire（珍しいものを集めた美術館）という実にふさわしい名前の美術館がある。芸術家、深海に潜るダイバー、そして化石やプロヴァンスの調度品のコレクターという顔を持つジョルジュ・マゾワイエのものだ。興味のあるものを美術館に集め、上の階をプロヴァンスの田舎でおなじみの、色の濃いロココ調の木製家具で埋めつくした。さらに下の階の大きな部屋には海の中の世界を再現した。展示された化石を見れば、リュベロン山脈が昔は島だったことがわかる。

アンスイの村を一望する城。田園地帯に囲まれ、村の北側にそびえている。写真はルネサンス様式の長い翼棟。奥に見える中世の城が素朴でいかついのとは対照的。

19

上：中世の立派な門。ここまで来れば、アンスイ城までの坂もいよいよ終わり。この門をぬけると、城の美しい前庭に出る。村の反対側の端が Musée Extraordinaire。
下の2枚：ジョルジュ・マジョワイエの作品。海の生きものたちの不思議な彫刻も。

アンスイの静かな通りや路地に、典型的なプロヴァンスの村の素朴さや打ち解けない雰囲気が漂う。鎧戸は閉じ、ひっそりとしたベランダには、しゃれた白いクロスの掛かったテーブルが。蔦だけが壁を彩り、所々に明るい木洩れ日が差す。

Bonnieux ボニュー
VAUCLUSE

左:旧教会の尖塔に立つ聖母マリア像。ボニューの丘にそびえ、巨大なイトスギの木に囲まれた教会は、いかにもプロヴァンスらしく素朴。
右ページ:ふもとにあるロマネスク・リヴァイヴァル建築の新教会。人々が丘を下りて暮らすようになった頃のもの。果樹園や葡萄畑を望む。

丘の村ラコストへ続く開けた地を見おろすように広がるボニュー。リュベロン山脈とアヴィニョンへ向かう西に伸びた肥沃な渓谷との間で、浮かび上がって見える。リュベロン山北側の美しいながらも憂いを帯びた村々の中で、最も活気があるのがボニューだ。村の頂へ上る狭く険しい坂道には古い石造りの家が並ぶ。ルネサンス様式やバロック様式の装飾ひとつひとつに、村が過去に非常に栄えていたことがうかがえる。

石段を上っていくと、村の頂で古代のスギに囲まれた旧教会に出る。元々のロマネスク建築の要素を豊富に残したまま、15世紀に増築されて優美な姿になった。ほどなくして、木に金をかぶせた贅沢な祭壇画が飾られた。村のふもとにある新教会は平凡なロマネスク・リヴァイヴァル建築だが、キリスト受難を描いた古い4枚の板絵は16世紀のドイツ人の作品だとされ、一見の価値がある。新教会から西へ2キロ、アプトへと続く眺めのいい曲がりくねった道の先には、かつてガリア人の集落があり、現在のボニューの場所に築かれた要塞に守られていた。当時のもので唯一今もあるのはジュリアン橋（p.28-29）。3つのアーチから成り、草地の中にひっそりと残っている。また、村の近くの廃駅も目を引く。今では美術館になっていて、リュベロンの村と西の町を結んでいた線路が展示されている。

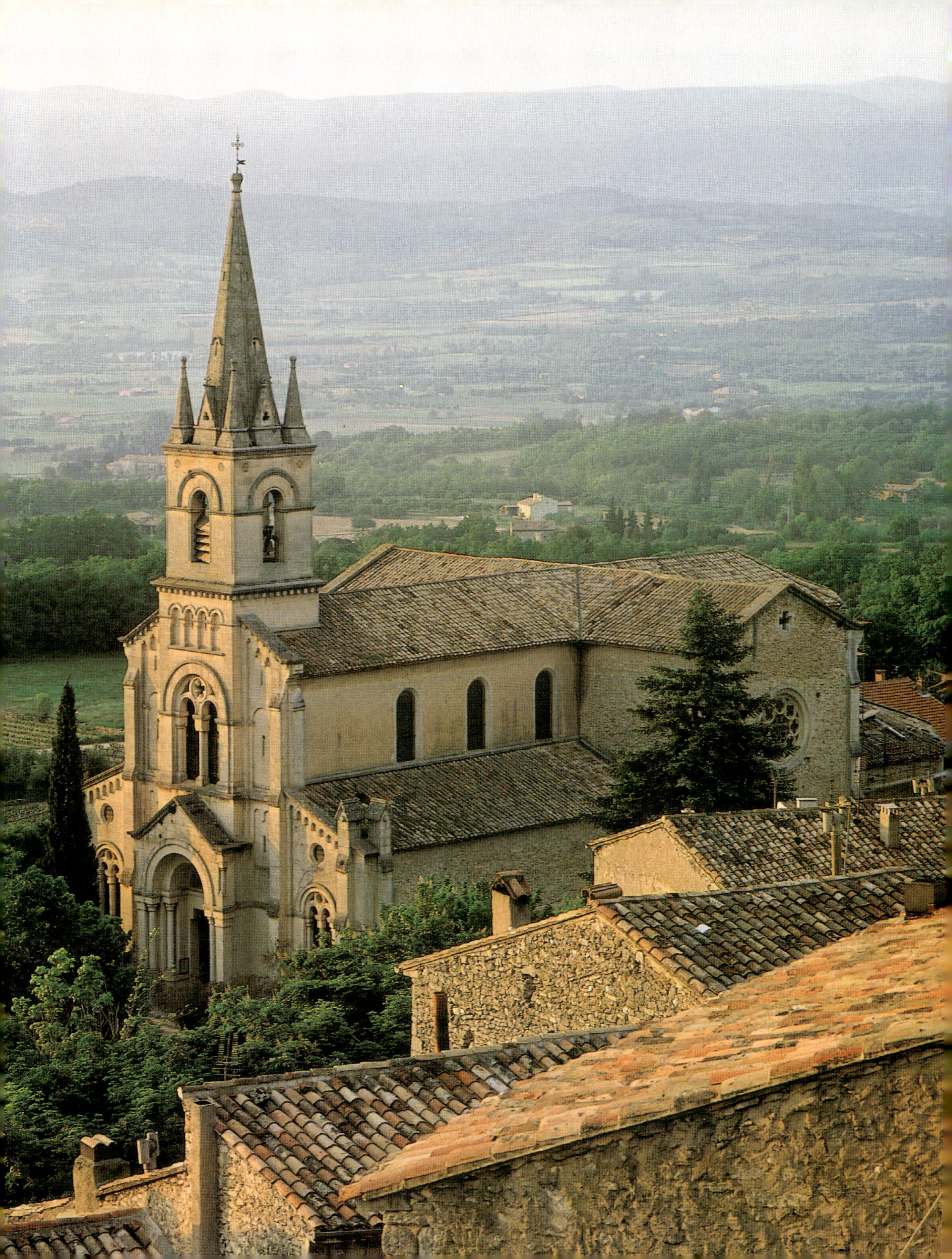

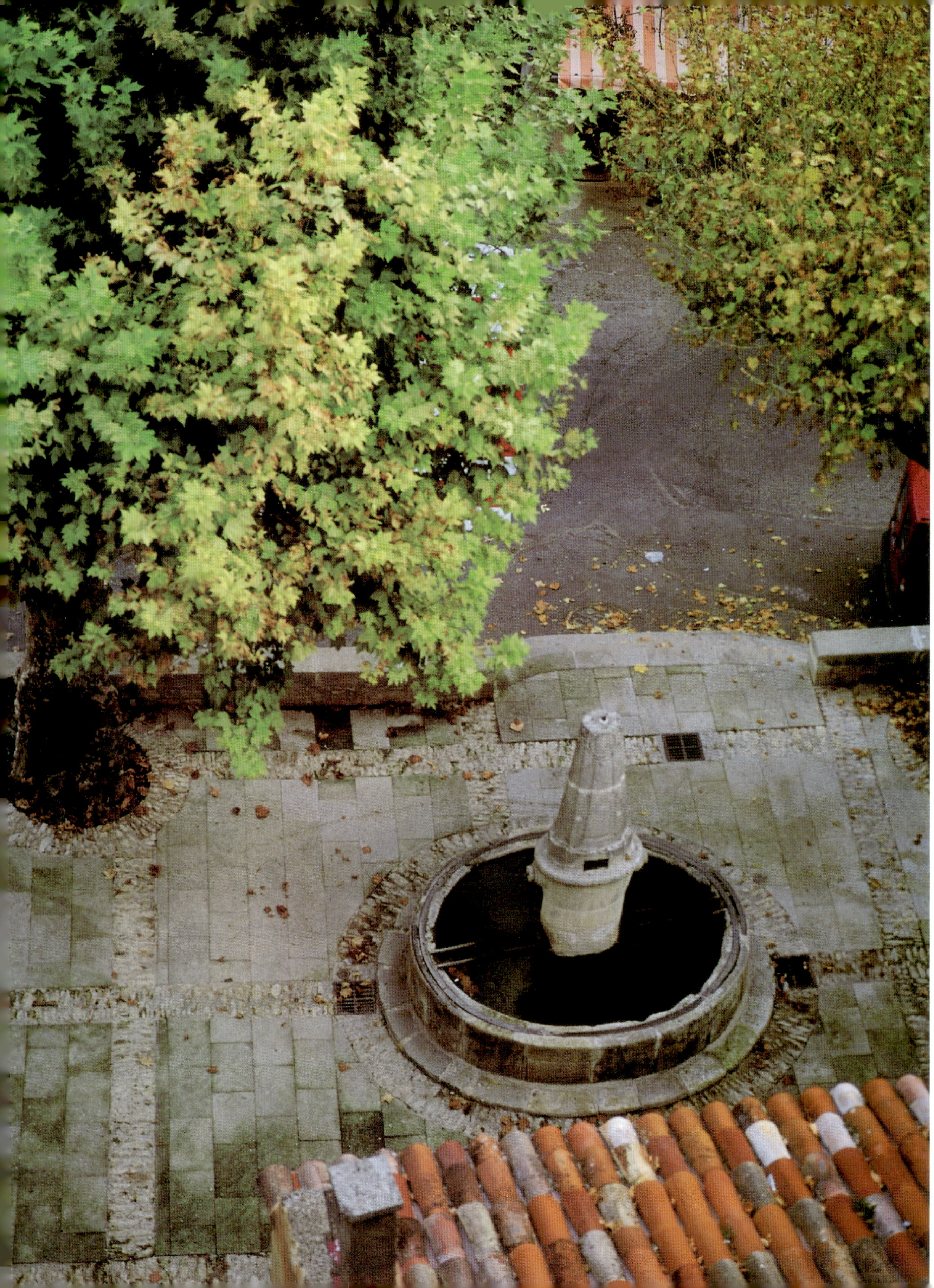

左ページ：素朴な噴水。大通りでもひときわ目立つ。
ボニューのふもと近くで見られる繊細な色合い。オテル・レストラン・セザール正面の路地(上)は、暗いながら魅力的。この路地を上り、16世紀に建てられた2軒の家に架かったアーチをぬけると、教区教会へ出る。

ヴォクリューズ／ボニュー 25

左の2枚：人のいない路地にある86段の石段を上ると、木陰の旧教会が。頂近くでは、古くからあるプロヴァンスの家々が、木や灌木に隠れるように建っている。
右：重なり合って建つボニューの家の屋根や壁の後ろに、ラコストの村が見える。悪名高きサド侯爵が住んだとして有名な城が、ボニューの教会の尖塔に対抗しているかのよう。

26 ヴォクリューズ／ボニュー

ヴォクリューズ／ボニュー

左:リュベロン山とモン・ヴァントゥの境にある広く肥沃な谷。ここにはもともとガリア人が住んでいた。
右:ガリア時代のもので唯一残るジュリアン橋。3つのアーチから成る。3世紀からそのままの形で残っている。アーチの間にあけられた穴のおかげで橋が非常に軽くなるばかりでなく、増水時でも水が滞らずに流れていった。

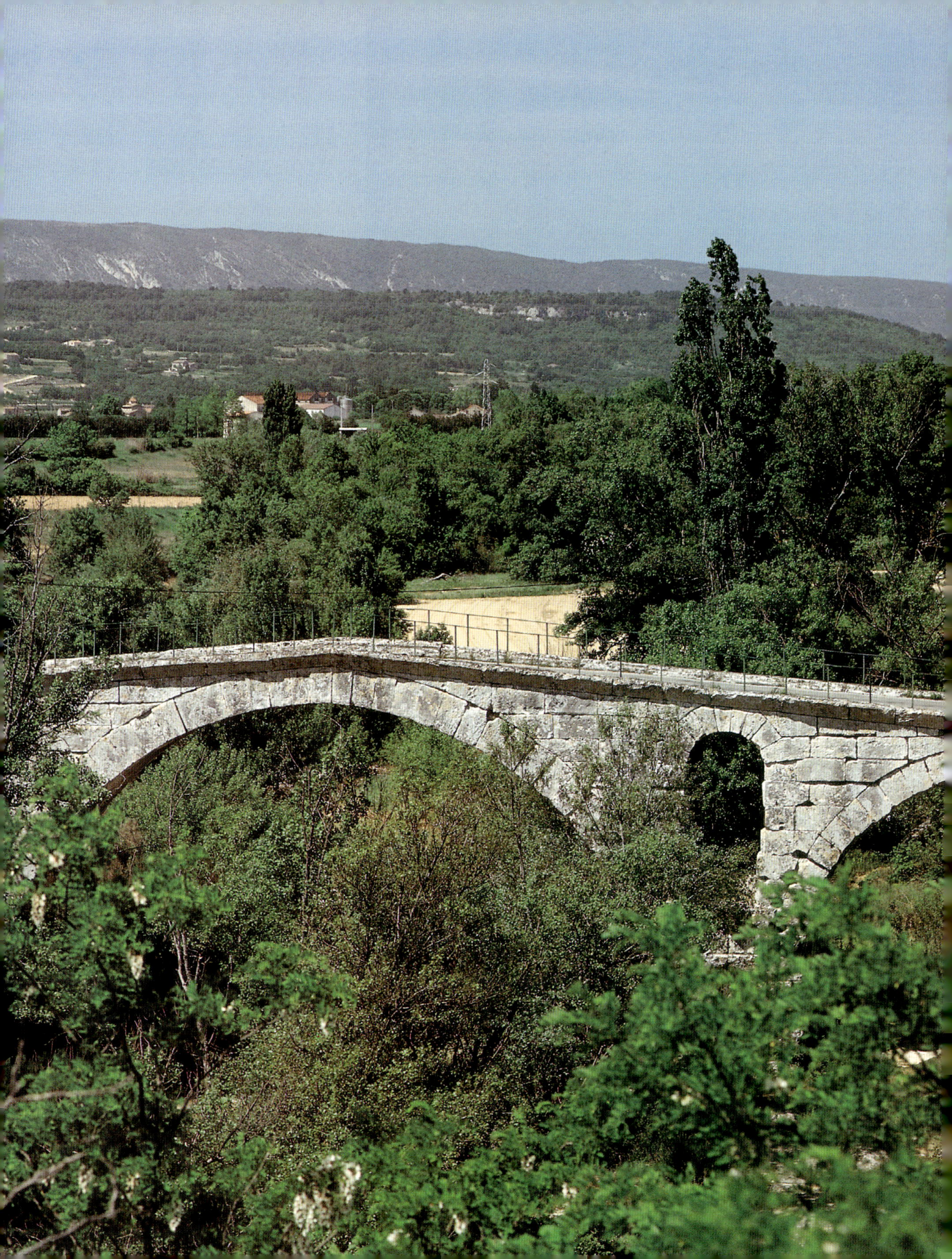

Crestet
クレステ

VAUCLUSE

　クレステという名前は、この村がダンテル・ド・モンミライユとして知られる岩山の上という、息をのむような地にあることをほのめかしている気がする。小さく静かな村で、遠目に見ると、すたれかかっているようだ。だが間近に行くと、村はロマネスク様式の広大な城跡へと上る1本道沿いに、中世のミニチュアのような姿を現わす。この城は、フランス革命まで完全な形のまま残っていた。現在は修復中で、田園地帯の絶景を見渡すことができる。

　村のふもと近くの通りは宝石箱さながらで、絵に描いたようなアーチのある古い家、4か所から水の落ちるルネサンスの噴水、そして、黒みがかった石造りの、高い鐘楼を冠した11世紀の教会など、美しい景色が広がっている。

　村から小路を歩いていくと、木が生い茂る山あいのトリニョンへ出る。そこにあるのはプレバイヨンの修道院跡。7世紀に建てられ、1563年、ユグノーによって破壊された。ユグノーは、クレステの住民も無差別に虐殺した。この物寂しい廃墟の地にあるのは、草が伸び放題で今にも壊れそうな橋。細いトリニョン川に架かっている。ほかにも、19世紀の小礼拝堂、1897年の聖母マリア像、そして目の病気を治すといわれている奇跡の泉がある。毎年8月15日と9月8日には、多くの巡礼者がここに集まる。

上：ふもとの村はずれにあるアーチの向こうに、磔にされたキリストが覗く。人目にとまることのない壁龕は、こぢんまりとした広場の建物に隣接した礼拝堂のもの。こういったひとつひとつが、クレステを別世界のような趣にしている。
右ページ：ルネサンス様式の噴水。広場の中央に位置し、1949年から再び水を出している。現在、クレステから2キロ離れた水源、フォン・ドイエから直接水をひいている。

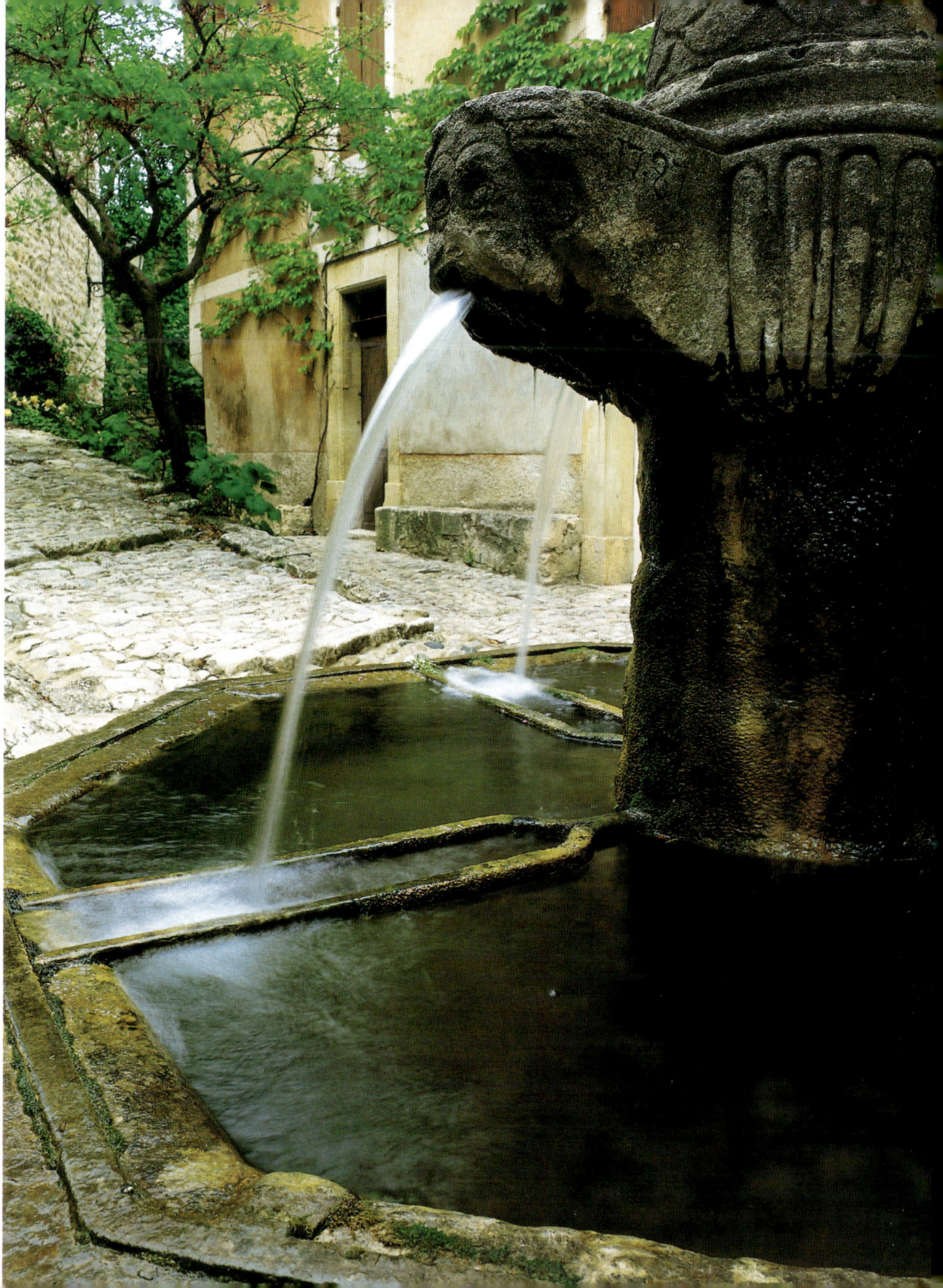

天然石でできた、ワインの神バックス像（左上）。クレステがコート・デュ・ローヌやヴァントゥの葡萄園に近いことを思わせ、石畳の小路を、異教の地のような神秘的な雰囲気に変える（右上と下の2枚）。この小路は、教会から緩やかな上り坂になっていて、村はずれの城へ続く。道沿いの家が修復され、近年活気が戻った。
右ページ：ふもとの村の中心は、ロマネスク様式の教会の塔。黒みがかった石造りで、葡萄畑に覆われた肥沃で広大な谷を見おろしている。

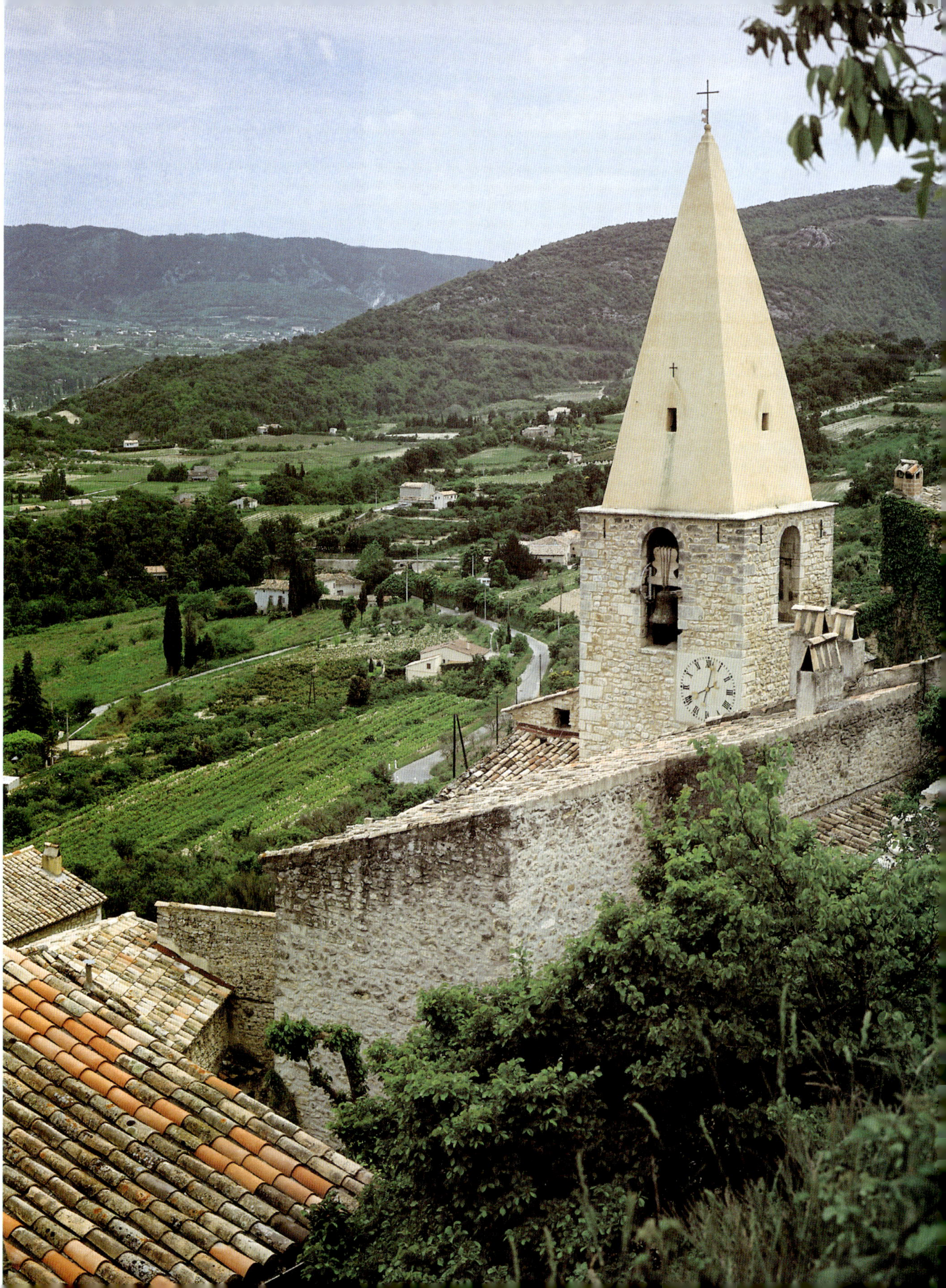

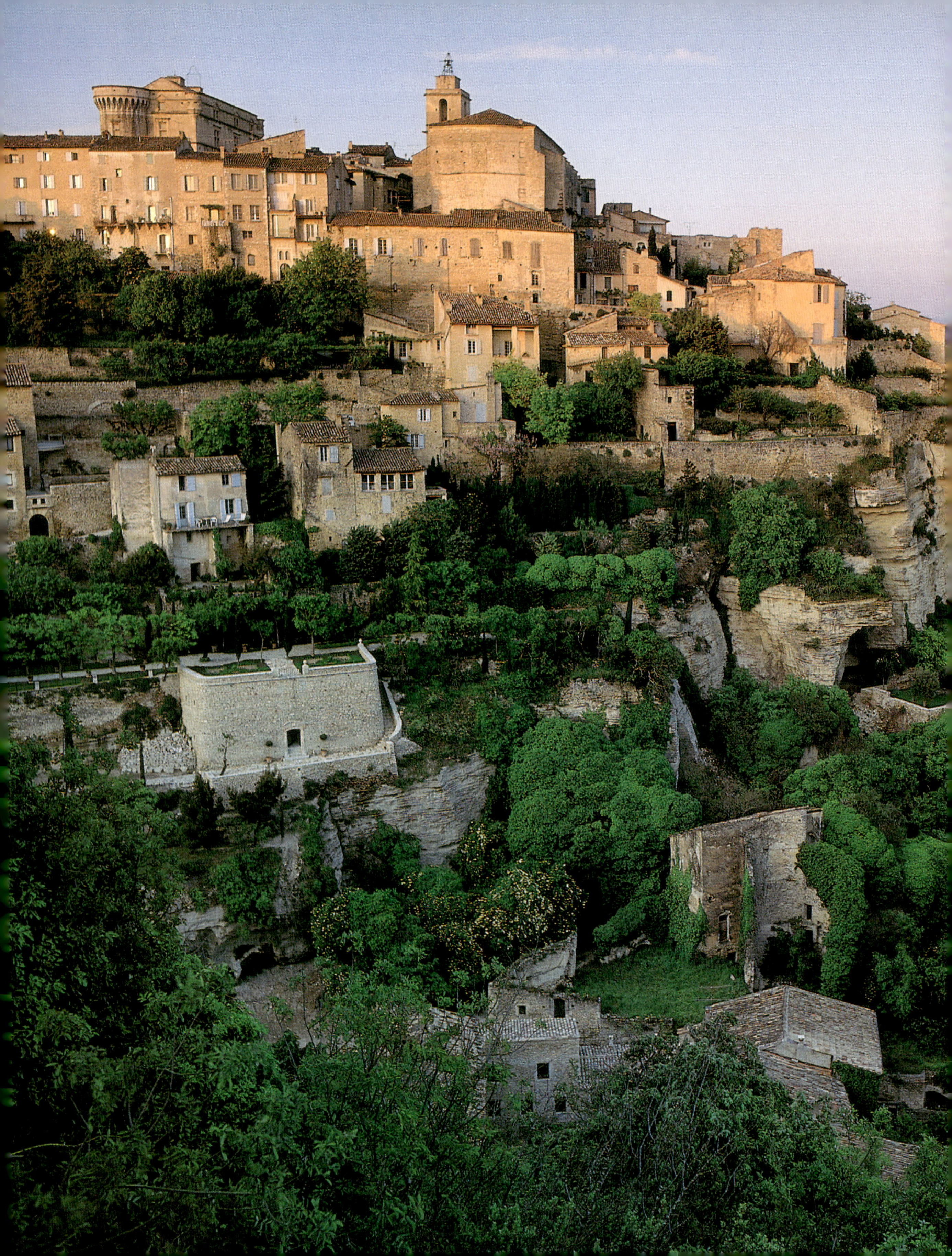

Gordes ゴルド

VAUCLUSE

　ゴルドは、遠くから眺めると特に迫力がある。幾層にも重なり合った建物が、ルネサンス様式の大きな城まで続く。一見、16世紀当時のままのようだが、実は近代復元されたものがほとんどだ。1944年、村は自国の兵士を殺されたドイツ人の報復で、ほぼ壊滅状態に陥った。

　幾何学模様にも見える村は、キュービストのような型を重んじる芸術家には魅力のひとつかもしれない。先陣を切ったのはアンドレ・ロート。1938年にゴルドに来て、〈ゴルドを見い出した者〉と称されることもしばしばだ。村の人気をさらに高めたのは、ハンガリー生まれのオプ・アーティスト、ヴィクトル・ヴァザルリ。廃墟となった城を1960年代のうちに修復し、個人美術館にした。ここが4館の個人美術館のうち最初のものである。美しい屋上や、複雑な彫刻がほどこされ、ルネサンス時代の調度品として最大の遺物と名高い巨大な暖炉は見ものだ。

左：ゴルドの村の頂へ続く道から見た夕暮れ。神を思わせる厳粛なサン・フェルミンの教会や、オプ・アーティストのヴァザルリを象徴した立派な城が、空を背景に雄大な姿を見せている。この城は、ヨーロッパに4か所あるヴァルサリの美術館のうちのひとつになっている。大部分はルネサンス時代に建てられたが、石落としのついた塔（右）は12世紀のもの。幾何学模様が、城を力強く見せている。

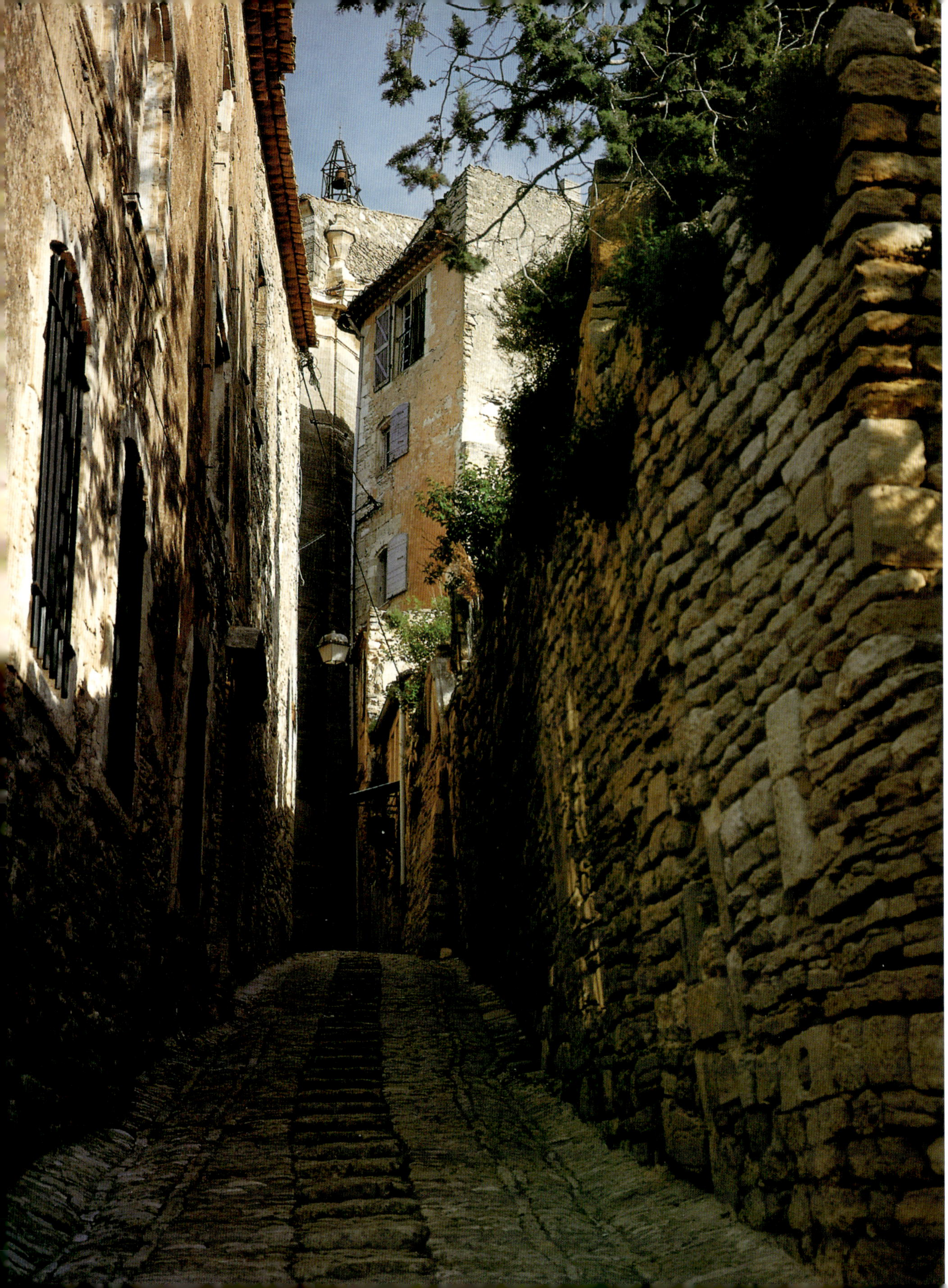

左ページ：時計台へ続く石畳の坂。いかにもプロヴァンスらしい時計台の上には、鉄細工がほどこされている。
上：高い石壁が、草木の茂る庭を守る。これも、ゴルドの大きな特徴のひとつ。
左下：村で必ず目にするヴァルサリの作品。個人美術館の外には正確な幾何学模様の彫刻が。
右下：19世紀の素朴な噴水。広場に華を添えている。

毎年9月に開かれるゴルドの祭が、リュベロンの夏の終わりを告げる。隣の村にもまたがった最も賑やかなこの祭には、遠くから大勢の人がやって来て、自転車競走やロバのレースに参加したり、即席の遊園地で遊んだり、食べたり飲んだりと大いに楽しむ。中でも、夜明けまで続くダンスで、祭は最高潮に。

ヴォクリューズ／ゴルド 39

Lacoste ラコスト
VAUCLUSE

　プティ・リュベロンの薄暗い一帯と、遠くに巨大なモン・ヴァントゥの輪郭を望む肥沃な谷との間に位置するラコスト。かつて悪名高きサド侯爵が所有し、廃墟と化した城の下に広がる丘の村だ。サド侯爵の存在は、今も村に不気味な影を落としている。

　世にも美しいこの村での生活の中心は、もっぱら丘のふもとの通り沿いで、カフェ・ド・サドや、その作品にちなんだ名前の画廊、レ・スチュージオ・ド・ジュスティーヌまである。丘の頂近くの一帯は、1950年代にはほとんどすたれてしまっていた。だがその後、多くの土地をひとりのアメリカ人芸術家が買い取り、芸術学校にした。ほかにも芸術家が移り住み、他国からも人が来ると、舗装されていなかった道には石畳が敷かれ、家も修復された。

　灌木や香り植物に囲まれ、ひっそりと建つ巨大な城は、はるか昔、11世紀のものだ。最初に悪名を馳せたのは1545年。オペド男爵がキリスト教の一派であるワルドー派の信徒300人以上を監禁し、性的暴行や拷問を加え、殺した。18世紀後半、サド侯爵が裕福な妻の財産で城を大々的に増築した。侯爵はプロヴァンスにはほとんど興味がなく、ラコストの村人をうとましく思い、田舎の暮らしを忌み嫌っていた。だが、城への思い入れは日々非常に強くなり、晩年獄中で書いた幻想的な2作品『ジュスティーヌ』や『ソドム120日』の舞台にしている。城はフランス革命後廃墟となったままで、20世紀になるとアンドレ・ブルトンのようなシュールレアリズムの芸術家や作家が巡礼に訪れるようになった。

上：かつてプロテスタントの築いた稜堡が、耕された畑に建つ。この畑が、ラコストの村と熱心なカトリックの築いたボニューの城砦とを隔てている。

廃墟と化したサド侯爵の城でも特に目を引く中世の砦。どっしりとした門構え（下）や敵を寄せ付けない壁（右ページ）、要塞化した家々（p.42-43）もその例。

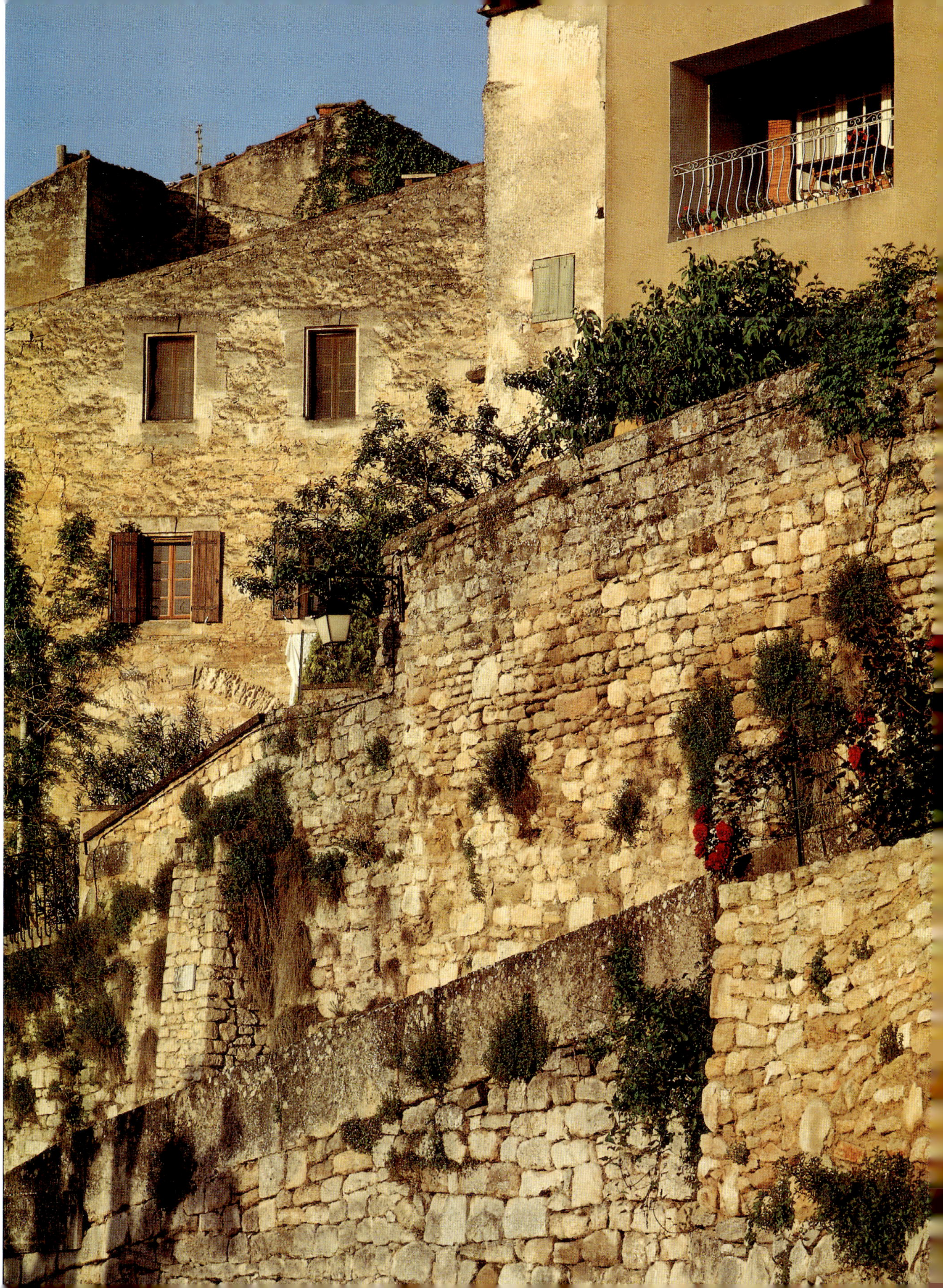

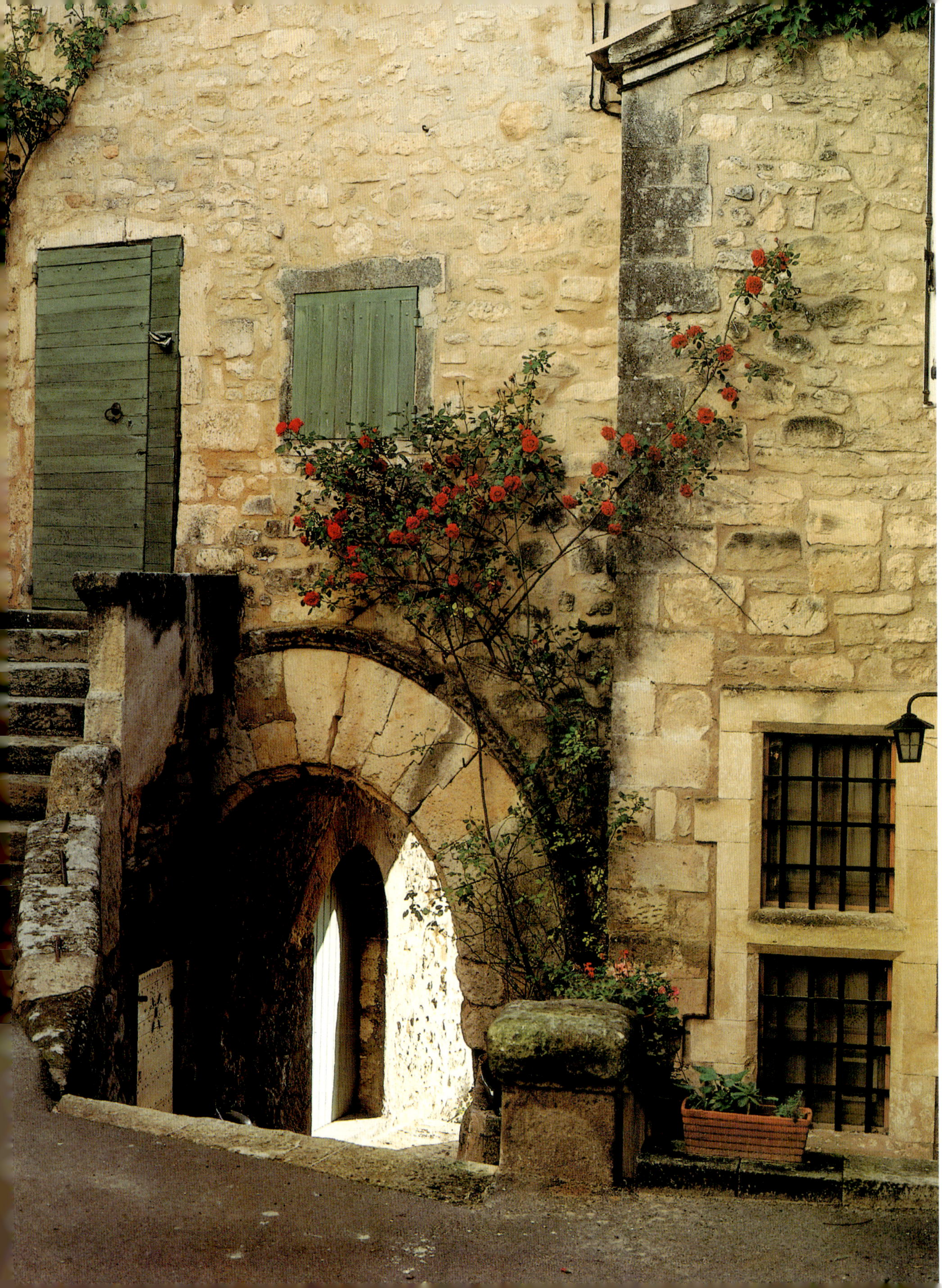

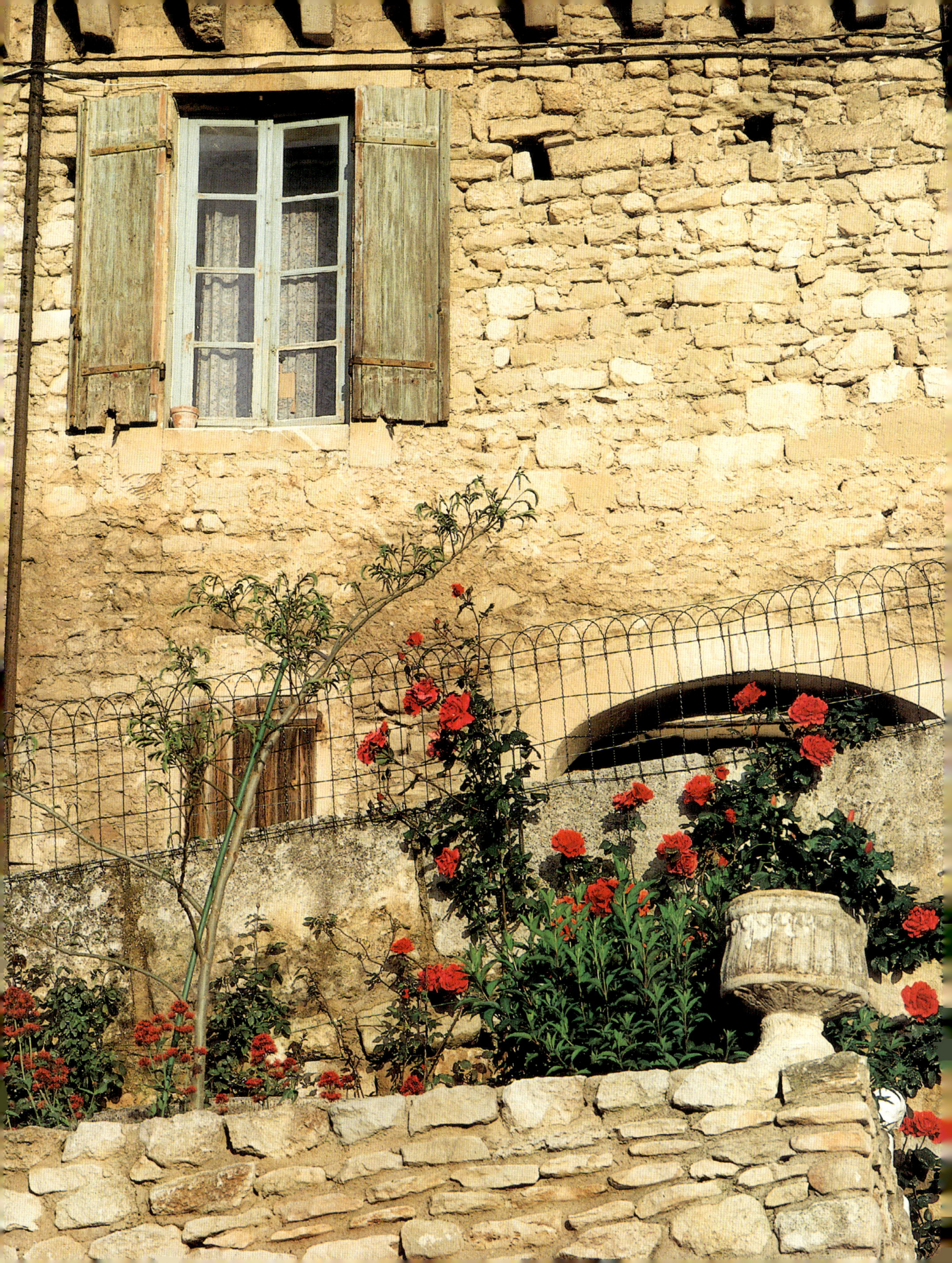

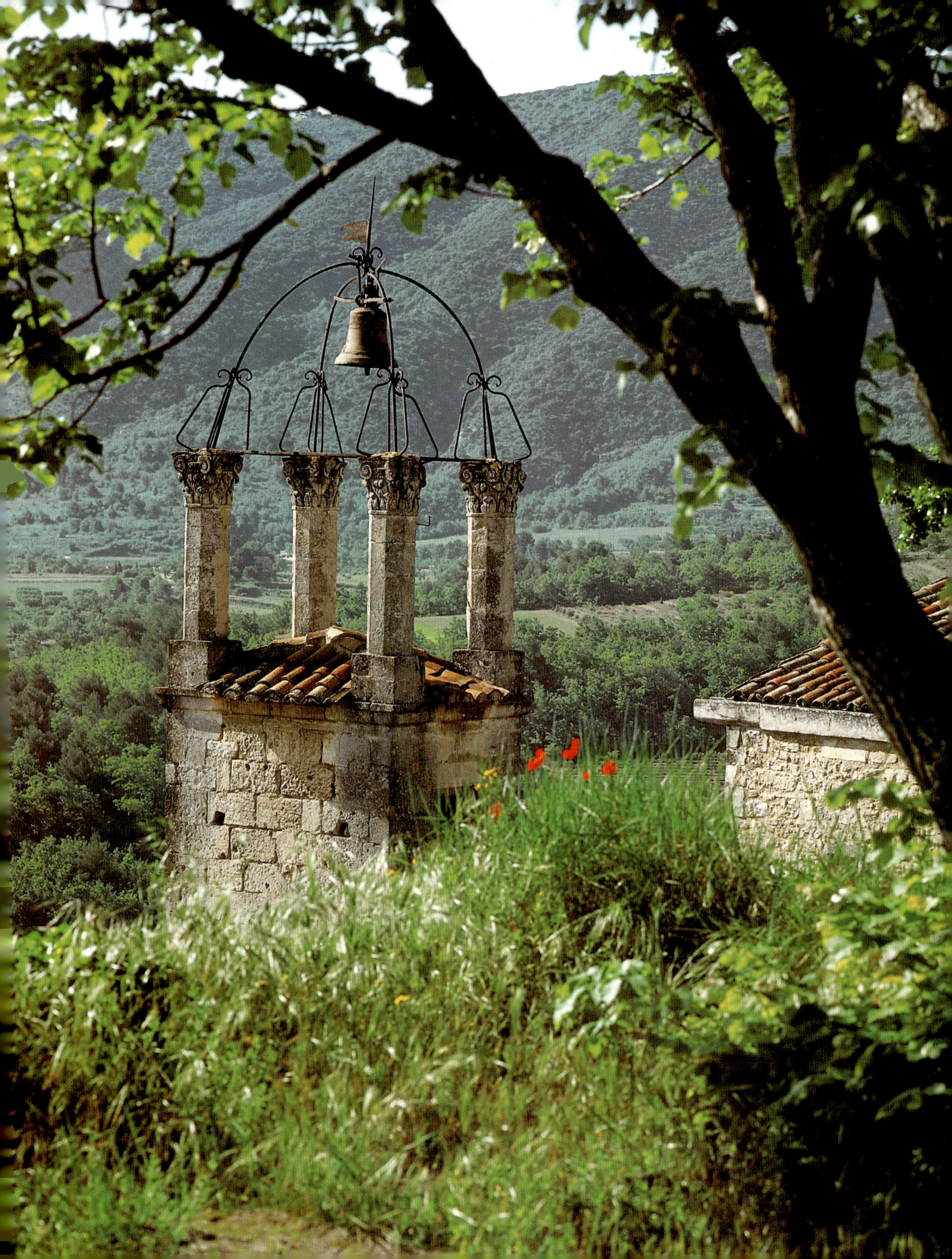

左ページ：廃墟になった城の前に建つ魅力的な鐘楼。鉄細工がコリント様式の支柱に載っている。
上：木に覆われたリュベロン山脈が、かすかに覗く。
下：村役場。19世紀に丘の上から移された。しゃれたオテル・ド・フランスを望むこぢんまりとした広場にある。

ヴォクリューズ／ラコスト　45

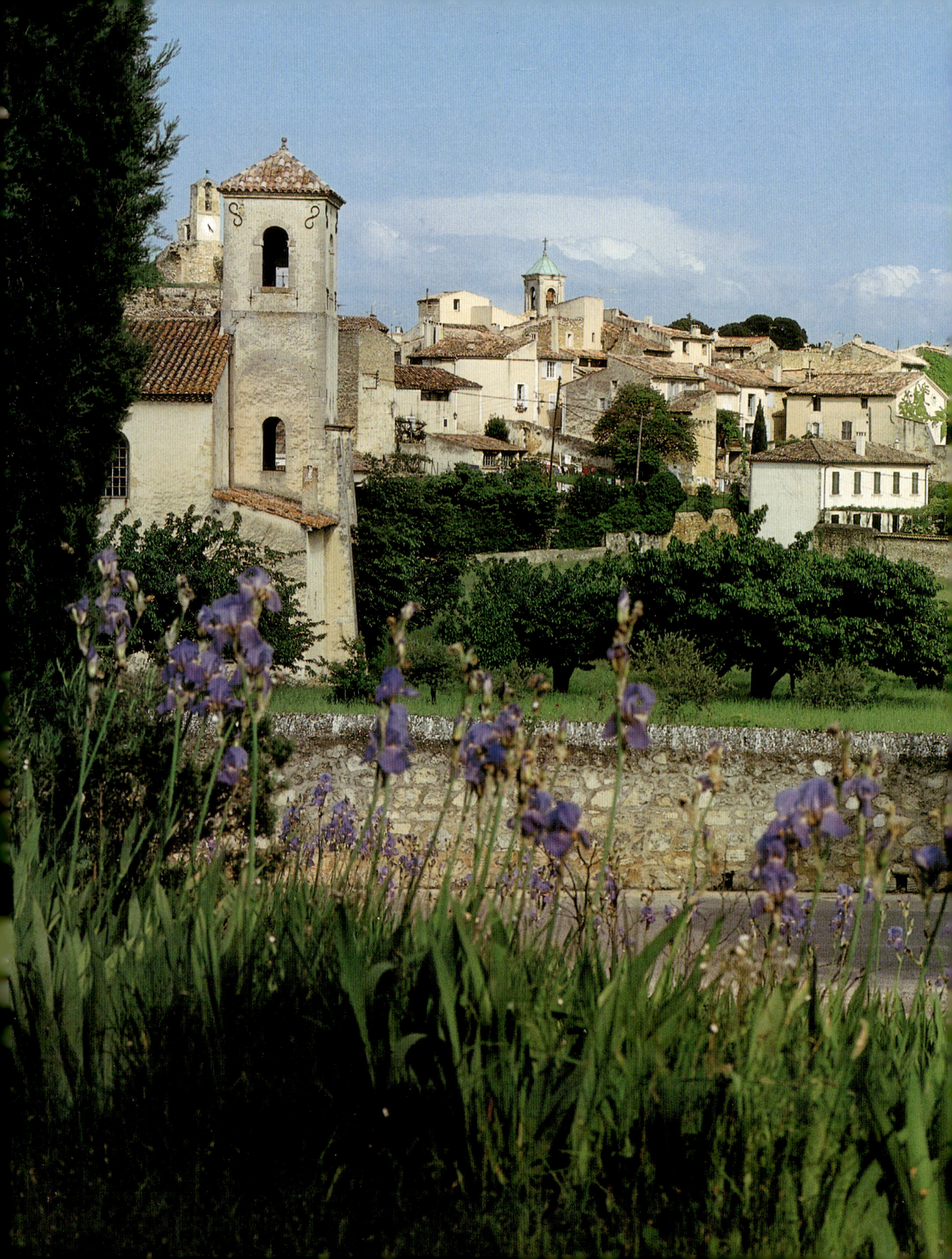

Lourmarin
ルールマラン

VAUCLUSE

　ボニューから、景色のいい曲がりくねった細い道に車を走らせ、グラン・リュベロンとプティ・リュベロンの境にある渓谷へ向かうと、目の前に、果樹園や葡萄畑、そしてラベンダーの生い茂る香り漂う田園地帯が現われる。リュベロン山脈北斜面の、ひっそりとして閉ざされた世界とは対照的な、より地中海らしい風景だ。また、ルネサンス建築のルールマラン城には、強いイタリア色さえ感じられる。草地に建つ城は、村のある小さな丘からもほど近い。城の大部分は1540年代のもので、内部には、ルネサンス時代の見事な暖炉もある。19世紀に人が住まなくなり、その後は、サント・マリー・ド・ラ・メールへ向かう巡礼者によって使われていた。地元の噂によれば、城内の壁の落書きは巡礼者のしわざで、1920年代、全体の修復工事のため追い出されたことに対する悪口が書かれているという。

　城と村の境には、ひっそりとした小さな教会がある。15世紀から16世紀、ルールマランの全盛期に人口の大部分を占めたプロテスタントの教会だ。近くの墓地には、早逝のイギリス人、ヘンリー・ダンダス・ショアが眠る。墓は母国の方を向き、墓碑銘には、病気療養で訪れていたニースから戻ってすぐ、ルールマランで死んだと書かれている。別の、粗末な墓に眠るのは、小説家、随筆家、そして、劇作家でもあるアルベール・カミュ。1957年、ノーベル文学賞を受賞後すぐ、ルールマランに小さな家を買った。だが、ここに住んだのはほんの短い間だった。1960年、カミュは車でパリへ向かう途中、ルールマランの近くで交通事故に遭い命を落とした。

村はずれから見た景色。かつてプロテスタントの信徒は、人口の大部分を占めていたにもかかわらず村内に教会を建てることを許されなかった。村に建つ塔が、耕された畑を見おろしている。奥の頂には、15世紀のゴシック建築、サンタドレ・エ・サン・トロフィーム教会の塔が。

ルールマランに数多くある噴水は、村が今も栄え、手入れが行き届いている証。
右ページ:壮大なルールマラン城。15世紀のもので、強固な砦になっている。隣接している棟は優雅なルネサンス様式。

48　ヴォクリューズ／ルールマラン

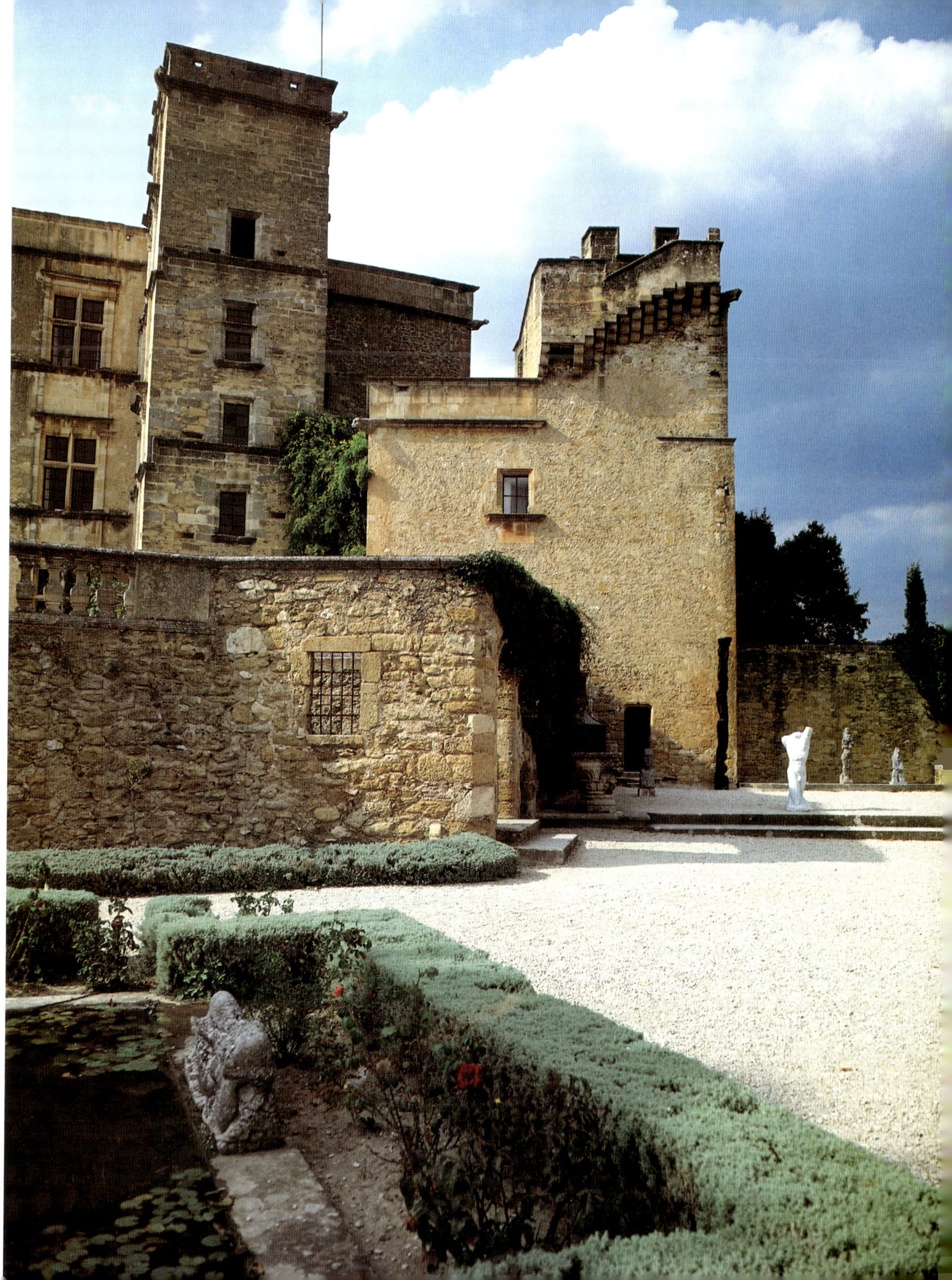

Ménerbes メネルブ
VAUCLUSE

　メネルブは、リュベロン山脈北斜面のふもと近く、木の生い茂る狭い丘の上にある。16世紀にはプロテスタントの要塞だったが、その後、1766年、サド侯爵と同時代に生きたランツォー伯爵が、放蕩の末、故郷デンマークから逃げてきて身を寄せた。反デンマーク王妃の陰謀にかかわっていたのだ。ところがメネルブでは、若く美しい踊り子、ソフィー・リヴェルネを娘と偽り同棲した。より最近になると、村は多くの無名の芸術家を受け入れた。ピカソは、ユーゴスラビア生まれの愛人、ドラ・マールに家を買ってやり、ニコラ・ド・スタールは、妻と別れアンティーブへ行く前に、ここメネルブで古い家を買っている。現在、メネルブに記念碑がある有名な人物といえば、19世紀末から20世紀始めの詩人、クローヴズ・ユーグだ。フレデリック・ミストラルの友人で、ル・フェリブリージュとして知られるプロヴァンス語の復興運動にかかわった。

　プロヴァンスの丘の村では、ほとんどが高地と低地で特徴が分かれるのに対し、細長いメネルブは西と東とで分かれている。西側の方が活気があって、カフェが1軒、店も数軒ある。ピーター・メイルの『南仏プロヴァンスの12か月』で有名になった肉屋もここだ。だが最も興味深い遺跡を見ることができるのはひっそりとした東側で、広大な要塞地はこちらにある。丘の岩棚で木々に半分隠れているのは、小さいながら頑丈な要塞。1584年、ユグノー追放の後に築かれたもので、1970年代に、印象派研究の先駆けとなった歴史家、ジョン・リウォルドにより完全に復元された。

　要塞の奥にあるのが、14世紀の聖母被昇天教会。教会内には、近くにあったサン・ティエール修道院から運ばれた、古い板絵がある。教会は、幻想的な雰囲気の墓跡の端に建っている。ここは要塞の最西端で、特に見晴らしがいい。眼下に、岩の上でひっそりと建つ砦を見おろせる。砦は13世紀のものだが、1577年以降建て直された。砦の内側に住居があり、ランツォー伯爵やニコラ・ド・スタールが住んでいた。

プティ・リュベロンのふもと近くから見たメネルブ。尾根の端に13世紀の要塞があり、村が堂々とした姿を見せている。すぐ後ろには、14世紀に建てられた村の教会も。

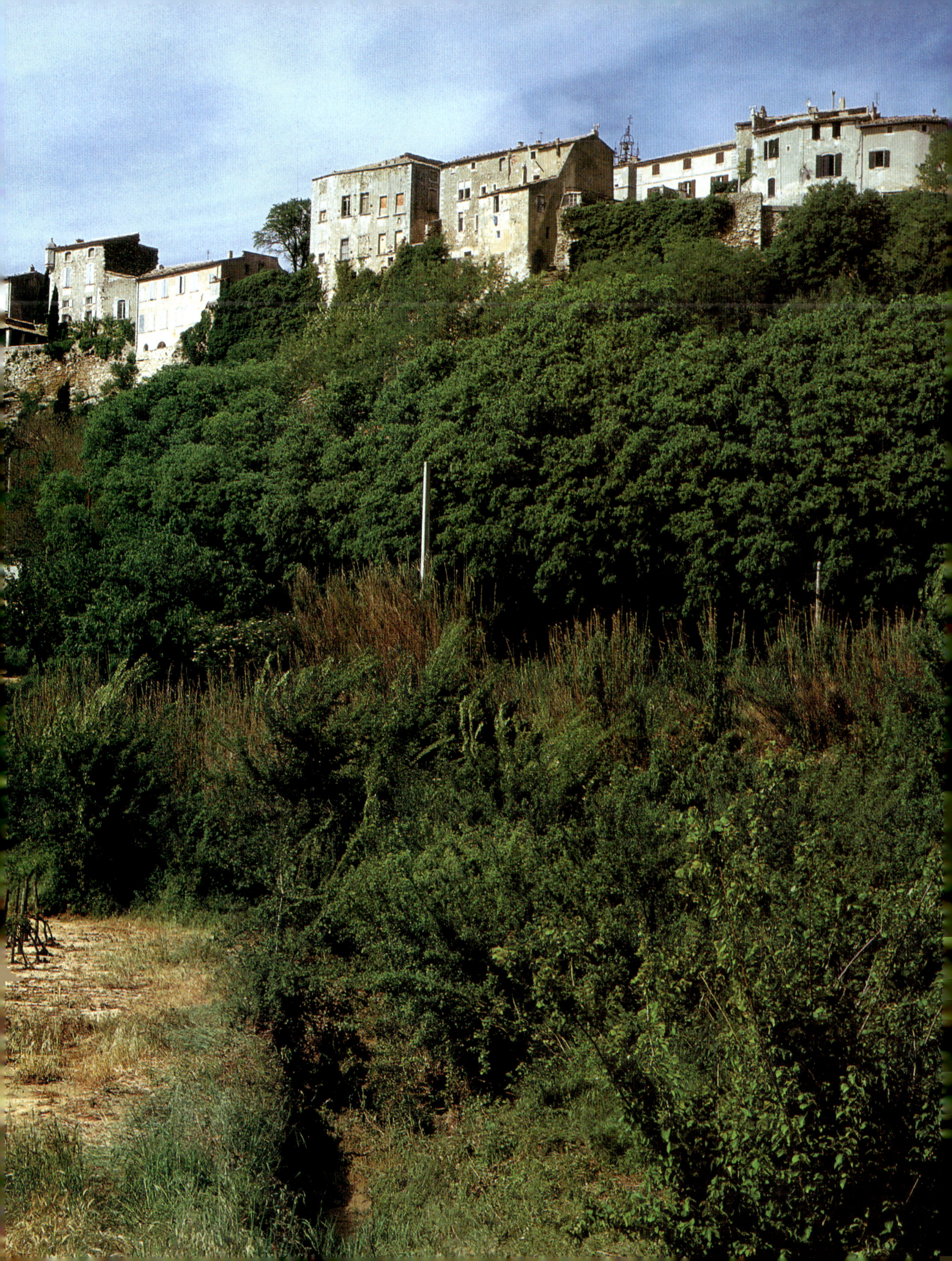

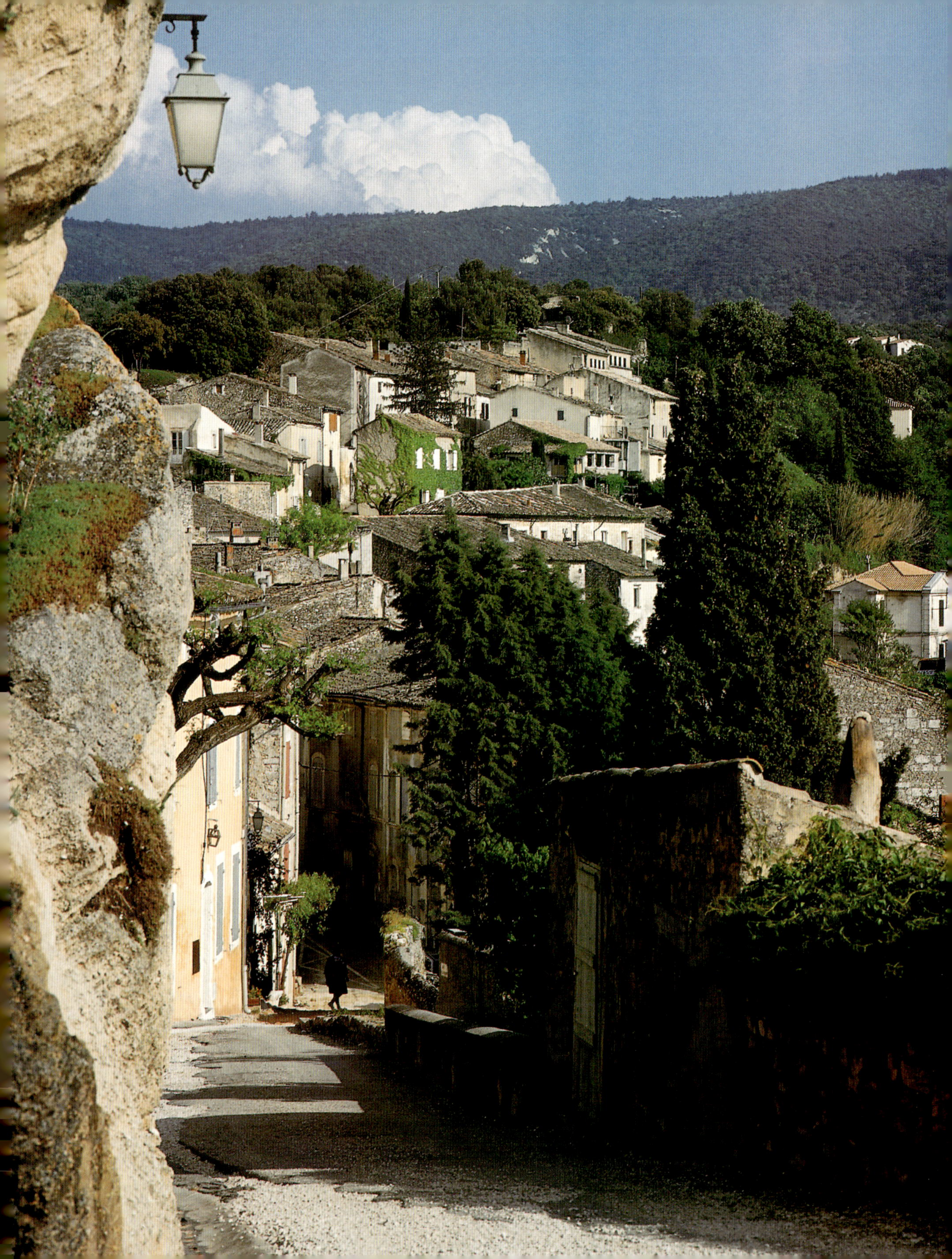

左ページ：個人所有の城へ続く道から見た東の景色。
後ろにプティ・リュベロンの斜面が見える。
左上：ルネサンス時代後半のささやかな広場を見おろす
邸宅。村の南側にあり、今では役場になっている。
左下：人のいない路地。メネルブの城と教区教会をつ
なぐ。
右：裏通り。メネルブとプティ・リュベロンの境にある、木
に覆われた美しい渓谷へ続いている。写真の厩が、村
と田園地帯とのちょうど境目になっている。

味わい深い魅力が満載のメネルブ東側。人のいない広場にある古めかしい噴水は水が止まったまま（左）。教区教会（上）は、岩山の村からほんの少し向こう側にある。奥の静かな墓地（右ページ）に立てば、岩（右）や、木に覆われたリュベロン山脈の斜面、そして、クーロンの谷の壮大な全景を望むことができる。

54　ヴォクリューズ／メネルブ

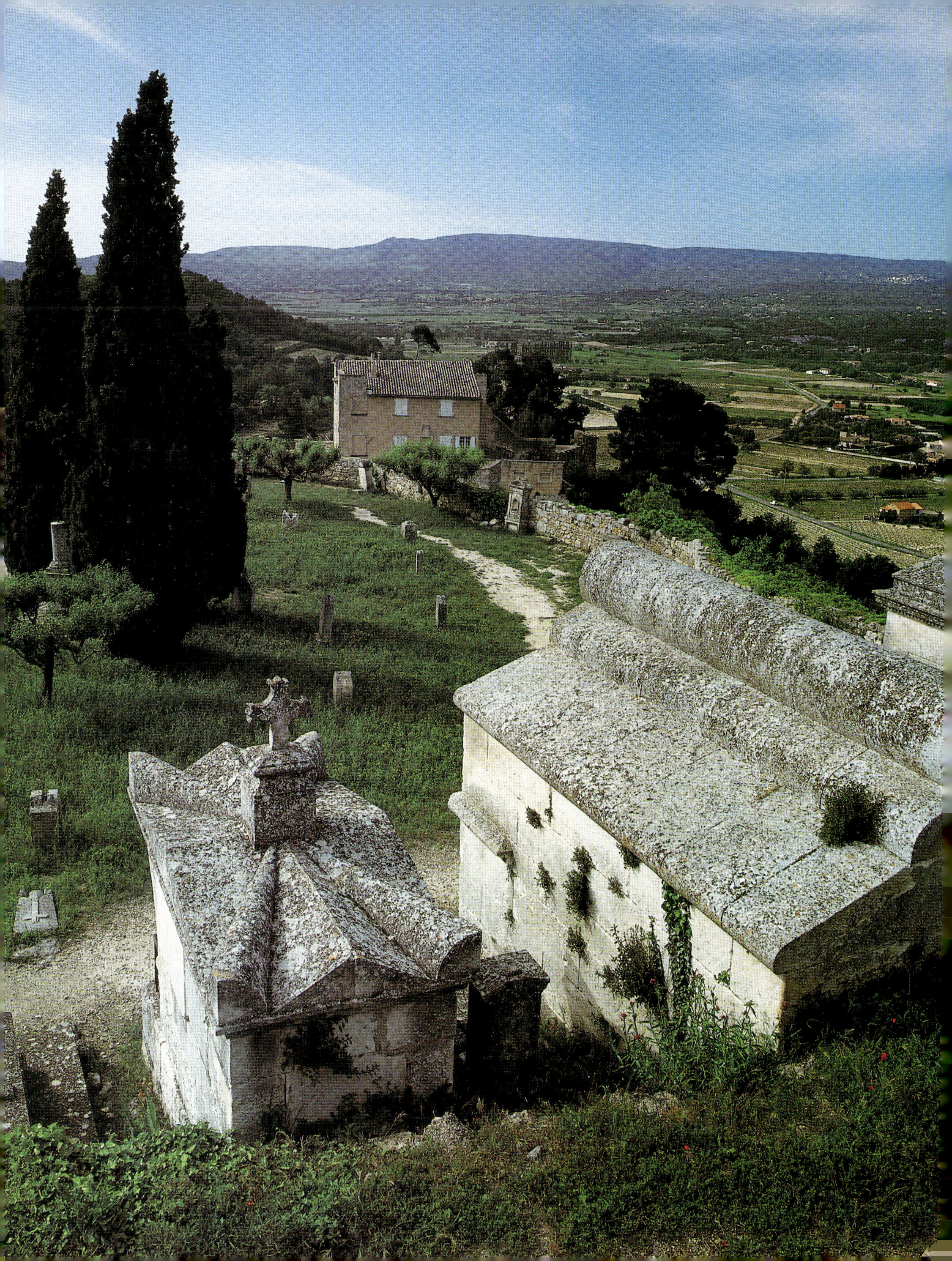

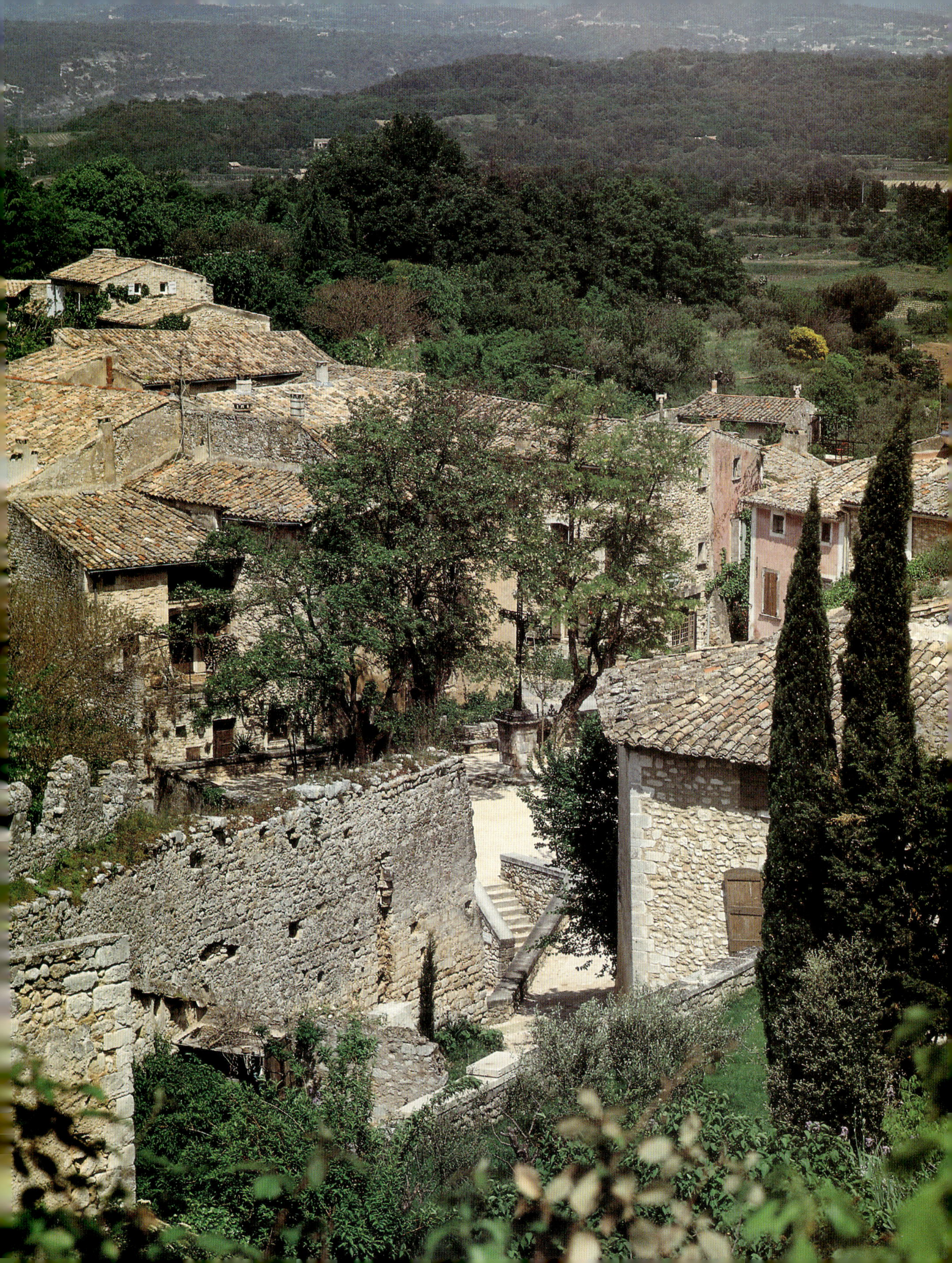

Oppède-le-Vieux
オペド・ル・ヴュ

VAUCLUSE

　プロヴァンスの廃村の中で、最も趣のあるオペド・ル・ヴュ。プティ・リュベロン北斜面の険しい石灰岩にしがみつくように広がっている。ボニューに続く木の生い茂った道からでも、リュベロン山の頂の険しい下り坂からでも、オペド・ル・ヴュへ自分の足で近づいてみれば、この地に、崇高を表現したロマン主義の絵を見ることができるだろう。

　13世紀、オペド・ル・ヴュはトゥールーズ伯爵によって開拓され、1409年にはアラゴン人に略奪される。1501年、アレクサンドル6世により命を受けたマニエール家が統治に就く。初代の、残酷なオペド男爵、ジャン・ド・マニエールが、住んだこともない領地を悪い意味で有名にしたのは、1545年、ワルドー派として知られる異端派を大量虐殺した結果といえる。

　軍事的な意味合いを失い、オペドは、質素な農村として存在していた。だが1912年以降急速にすたれ、残っていた村人たちはしかたなく、谷をを下った所に新たな集落オペド・レ・ポリヴェを築いた。第2次世界大戦が勃発すると、若き芸術家や建築家が山の上の廃墟に避難し、一時的に、理想的な自給自足のコミュニティーをつくり上げた。その中には、小説家サン・デグジュベリの妻もいた。より最近になると、昔の姿を残す低い要塞のまわりに多くの建物が集まるようになり、別荘やカフェ、骨董品屋へと姿を変えている。

　だが幸いなことに、この地の大部分は、かつての荒れ果てた姿を残している。村の頂近くに残る主要な建造物、アリドンのノートルダム教会を目指し、むせるほどにハーブの香りが漂う道を歩いていると、当時にタイムスリップしたような気えさする。さらに上ると姿を表すのは、木々や茂みに半分隠れた12世紀の城跡だ。そこから、木に覆われた谷や石灰岩の絶壁といった、思わず目を回してしまいそうな景色を望めるのは、まさに崇高な体験といえよう。

左ページ：オペド・ル・ヴュのふもとの村。今では再び人が住んでいる。

上：ノートルダム・ド・アリドン教会の、八角形の鐘楼。次に覆われ荒れ果てた城の割れ目の向こうにくっきりと見えている。ロマネスク様式で、16世紀に建て直され、19世紀に大々的に修復された。遠くに、クーロンの肥沃な田園を望み、さらに奥には、近代的なオペド・レ・ポリヴェの村が。

下：19世紀のサン・アントナン礼拝堂。村の頂へ続く岩がちの道に建つ。

Roussillon
ルシヨン

VAUCLUSE

　見渡す限りの褐色、Viscus Russulus(赤い丘)というラテン語の名前、どちらもこの村があるオークルの崖から大量に吹きつける塵によるものだ。

　中世から残る壁、生い茂るマツ、両側にそびえる壮大なリュベロン山とモン・ヴァントゥ。これだけ見ても、ルシヨンは美しいことこの上ない。だが、村全体を印象的で心揺さぶる神秘の地にしているのは、眼下に広がるエキゾチックなオークルの景観だ。マツの木の濃い緑が、浸食や近年の採石でできた幻想的な岩の層の、燃えるような赤や黄色やオレンジ色を際立たせる。この風景は、アメリカのアリゾナ州コロラド川の峡谷、グランドキャニオンのヨーロッパ版といってもいいだろう。

　ルシヨンは、アメリカの社会学者ローレンス・ワイリーが近年、フランスの田舎生活についての最も優れた考察『Village in the Vaucluse (ヴォクリューズの村)』(1957年)を書くきっかけとなった村としても有名である。ワイリーはルシヨンを、開発はされていないが本質的に温かい村だと書いている。これは今日のルシヨンや、劇作家のサミュエル・ベケットが第2次世界大戦中に身を寄せていた時に触れた、冷たく威圧的なルシヨンとは少し違っている。村での暮らしが退屈で、ベケットは精神に異常をきたしてしまった。だが少なくともまわりの景色には感銘を受け、自らの戯曲『ゴドーを待ちながら』にも登場させている。

右:アプトの道から見たルシヨンの全景。いかにも中世の城砦の村らしい景観。教会の向こうに、はるか昔の岩の砦がそびえる。

左下:右の写真の端に写る〈巨人の道〉はまさに絶景で、今は使われていないオークルの採石場である。俳優のジャン・ヴィラールはいう。「ここは悲劇的舞台背景の最たるもの、〈赤きデルフォイ〉(訳注:デルフォイは、ギリシア神話に登場する神託所)だ」と。

左上:オークルの色は、村のどの建物にも。

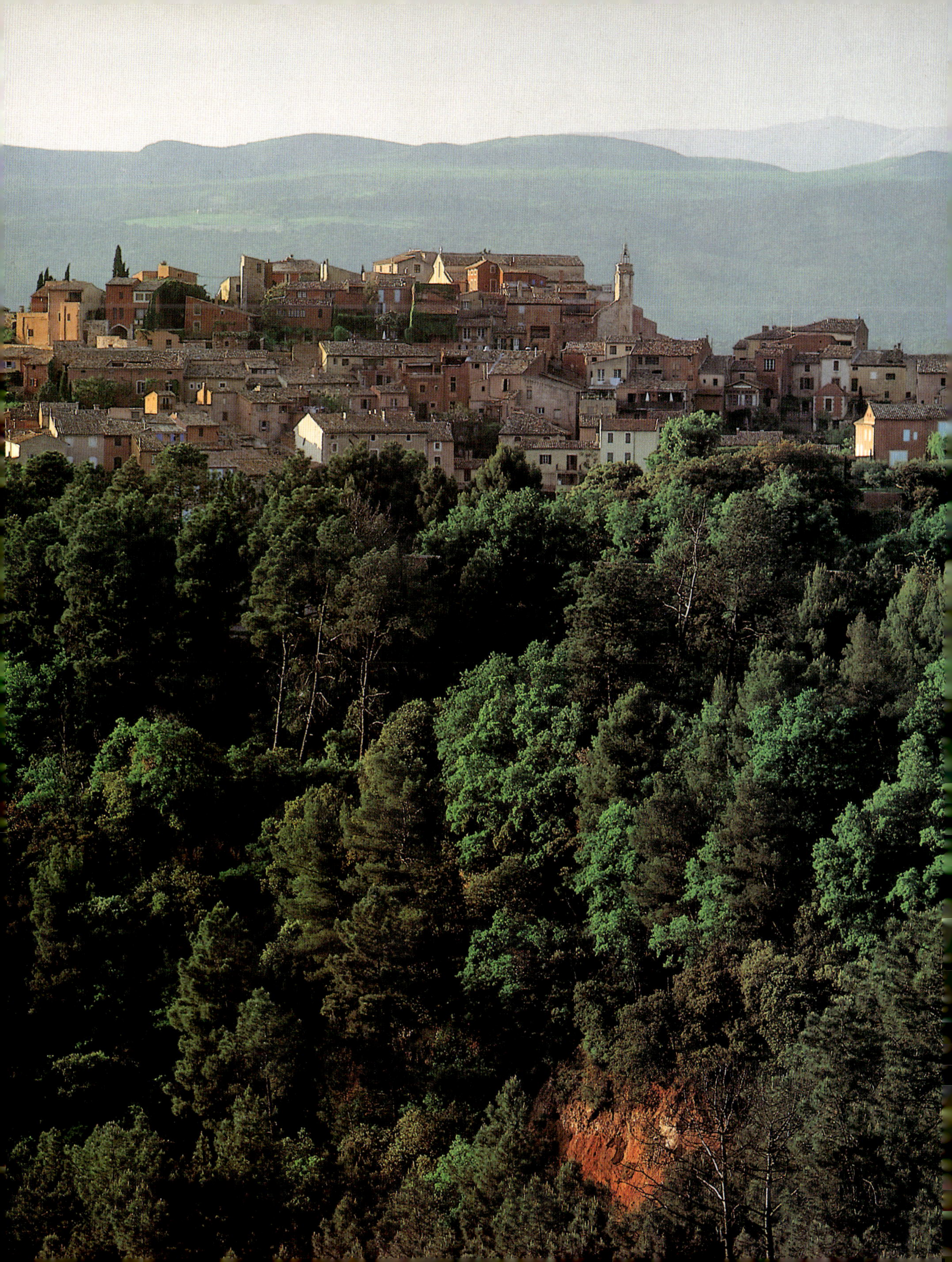

ルシヨンでまず驚かされるのはその景観だが、城砦の随所に残る、アーチの架かった路地や18世紀の扉、朽ちた石造りの建物も、訪れる者の目をくぎ付けにする。
右ページ：ハト小屋もプロヴァンスの家の特徴のひとつ。村を彩るオークルの色合いの中で、まるで抽象絵画のよう。

60　ヴォクリューズ／ルシヨン

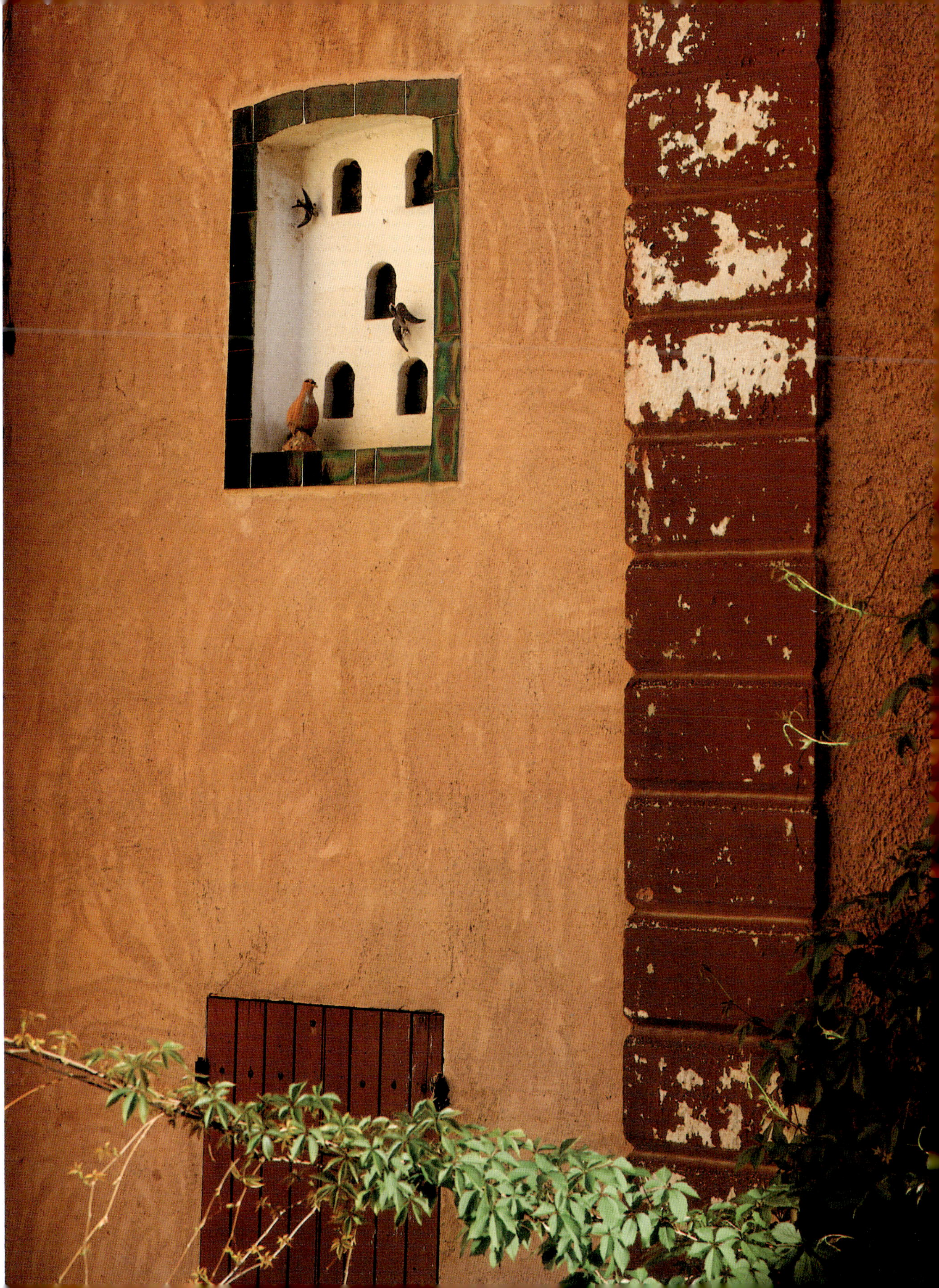

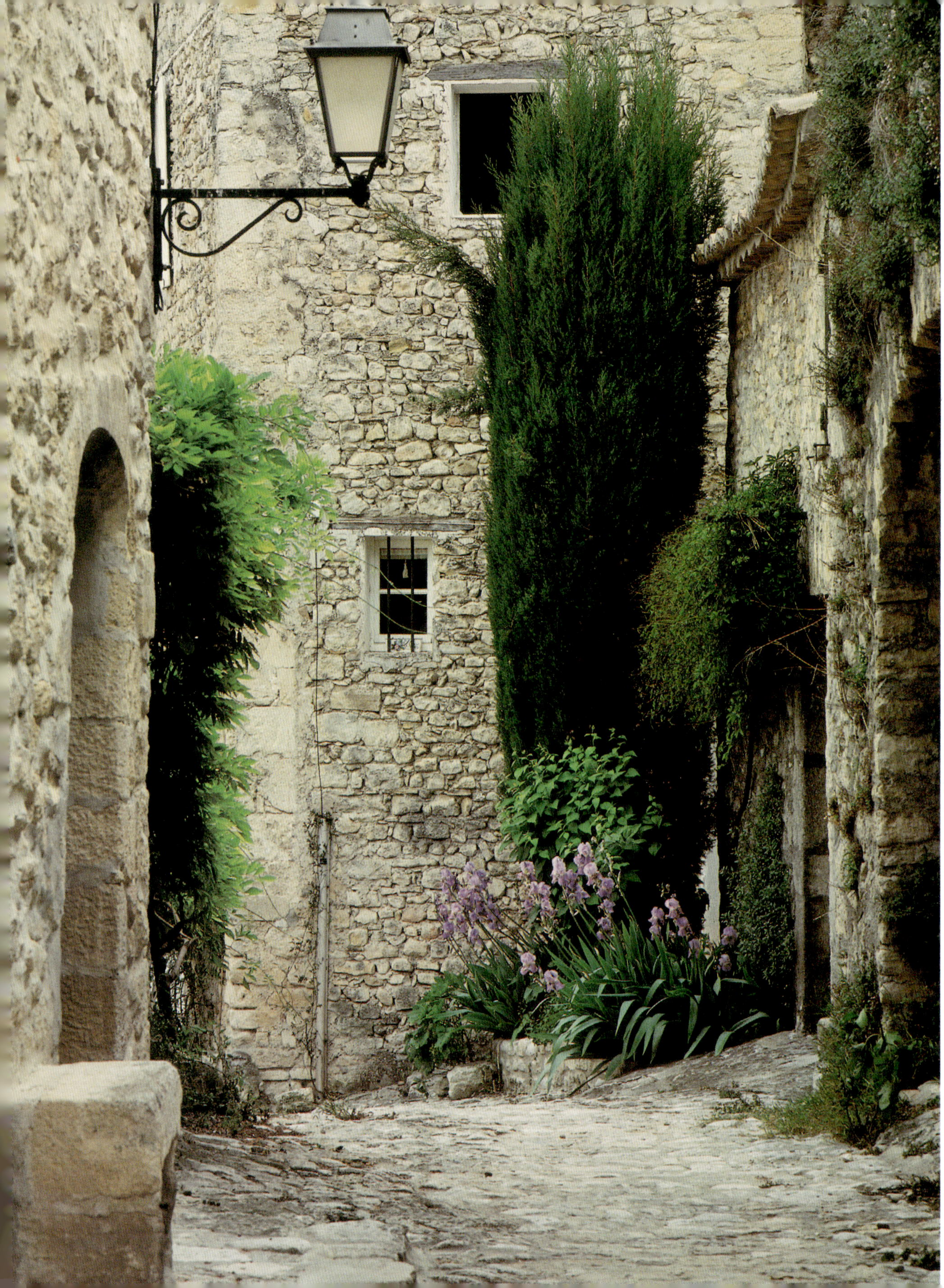

Séguret
セギュレ

VAUCLUSE

　ワインづくりの村セギュレは、ダンテル・ド・モンミライユのごつごつした峰から続く焦げたような色の斜面沿いに位置し、ジゴンダスやシャトーヌフ・デュ・パプといった、ローヌ渓谷に広がる葡萄園の見事な景色を望む。これらの地のワインは、アヴィニョンに教皇庁が置かれた最大の遺産といえそうだ。

　1274年、トゥールーズ伯がオランジュ公から得ていたセギュレをローマ教皇クレメンス5世が引き継ぎ、そこに城を建てさせた。今日、城は廃墟と化して村を見おろしている。城から村に向かう道には、14世紀の城壁が建ち並ぶ。さらに村の中でも、中世の城砦が多く見られる。

　たくさんの芸術家がセギュレに足を運び、夏には、このはにかんだような小さな村でも、より絵になる場所は素人の絵描きにとってかっこうの題材になる。村全体が、屋外にある中世の美術館のようで、12世紀の高い門をくぐり、狭い通りをバロック様式のしゃれた噴水へ向かうと、見晴らしのいい高台にひっそりと佇むロマネスク建築の教区教会がある。

古めかしい石畳の路地（左ページと右）を行くと、ロマネスク建築の教区教会（左）へ出る。大部分が修復され、ダンテル・ド・モンミライユの壮大な岩肌の真下に張りだしている。

セギュレ中心部のひっそりとした一角や、ぽつりと佇む噴水。一方、村はずれに行くと、肥沃な田園と山々の雄大な景色に代わる。

64　ヴォクリューズ／セギュレ

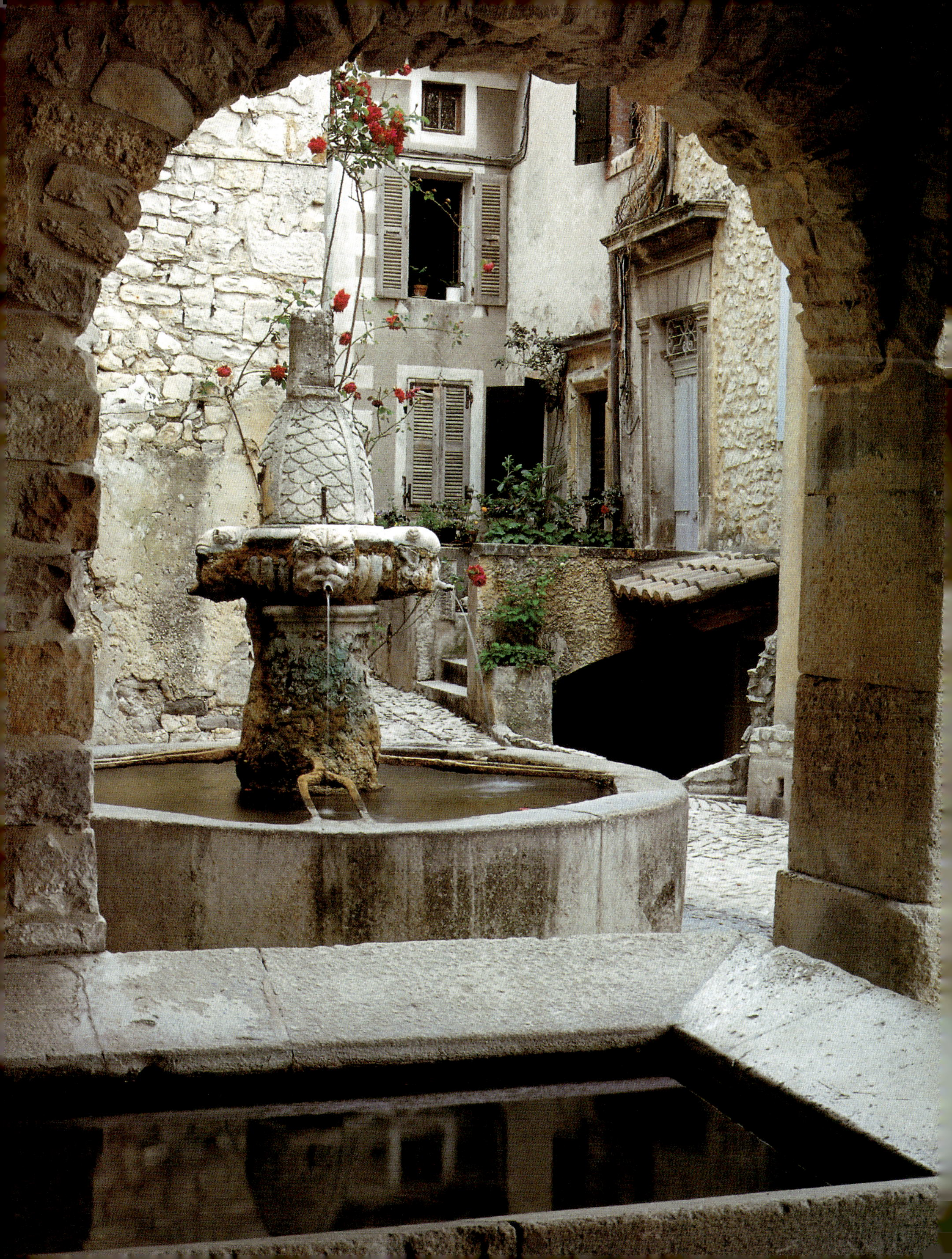

Vaison-la-Romaine ヴェゾン・ラ・ロメーヌ
VAUCLUSE

細いウヴェズ川（右ページ）。ローマ時代に建てられたアーチ型の橋が架かり、低地にある新しい町ヴェゾンと、要塞のような家（左）が特徴的な中世の集落がある、岩がちな高台との間を流れている。

プロヴァンスの古い歴史を語るのに欠かせない地、ヴェゾン・ラ・ロメーヌは、大きくせり出したモン・ヴァントゥの下で、ウヴェズ川を挟んで2つに分かれている。軽工業が盛える広大な地域で、大きな近代的市街地であると同時に、高台には、丘の村の景観や特徴を備えた、自給自足の中世の地域がある。

この地の歴史は、今の高台の村をささえている岩の上に、ケルト人が要塞を築いて始まった。紀元前2世紀まで、ケルト人の部族であるウォコンティー族の拠点であった。その後、ウォコンティー族を征服した古代ローマ人は、岩の上の地を捨て、ウヴェズ川の対岸にあるふもとの土地へ移った。ガロ・ローマ時代、ここに最も栄えた町ができ、今でもその壮大で見事な遺跡が多く残ることから、ヴェゾン・ラ・ロメーヌは〈フランスのポンペイ〉といわれるほどだ。キリスト教の伝来とともに、ローマ人の町ははますます発展、壮麗な大聖堂（後に、ロマネスク様式で改築された）が建てられた。12世紀、ヴェゾン・ド・ロメーヌの司教と対立したトゥールーズ伯は、ケルト人の村があった場所に城を建てた。ローマ人の町に住んでいた民衆もトゥールーズ伯について丘の上の城砦に住むようになる。人々が再び丘を下り、川の反対側のローマ人の町があった所に今のような近代的市街地をつくったのは、18世紀になってからだ。

こうして18世紀以降、丘の上の古い町は荒れ果てたままとなり、狭い通りや、雨ざらしになった石造りの大きな家は、最近になりやっと復元された。断片的に残る中世の城壁の中に立つイトスギが、イタリアのトスカーナを思わせ、この地には、ふもとの活発な町とは正反対の、朽ちて静かな魅力がある。むき出しの岩の頂で風雨にさらされ建っているのは、トゥールーズ伯の城の巨大な壁だ。見晴らし台からは、モン・ヴァントゥの見事な眺めを満喫できる。その頂はまっ白な石灰石で、まるで万年雪のようだ。

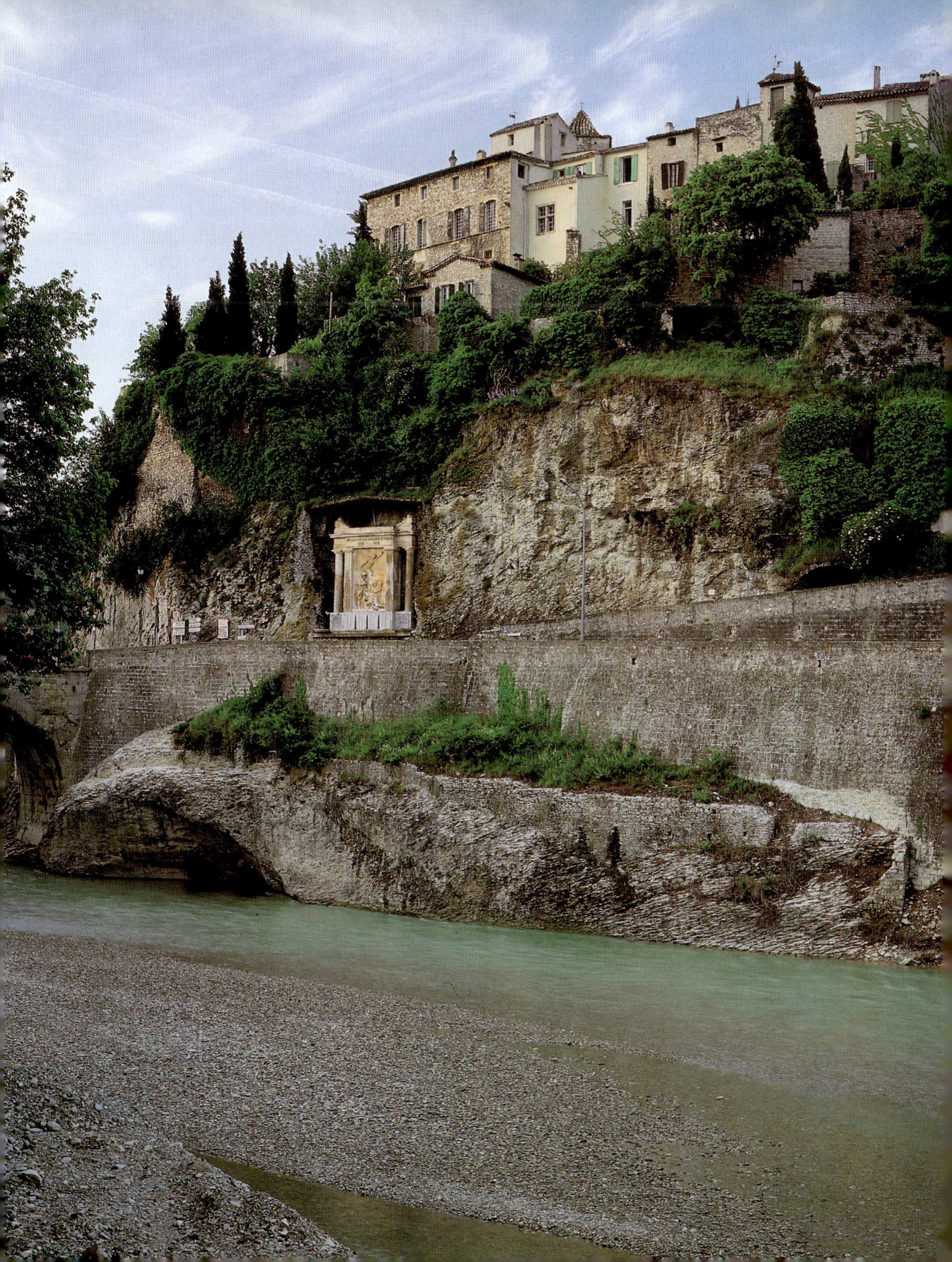

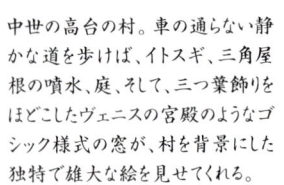

中世の高台の村。車の通らない静かな道を歩けば、イトスギ、三角屋根の噴水、庭、そして、三つ葉飾りをほどこしたヴェニスの宮殿のようなゴシック様式の窓が、村を背景にした独特で雄大な絵を見せてくれる。

68　ヴェゾン・ラ・ロメーヌ

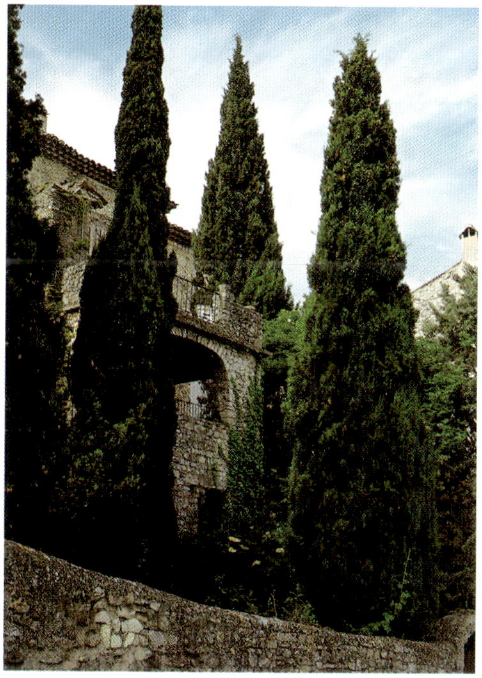
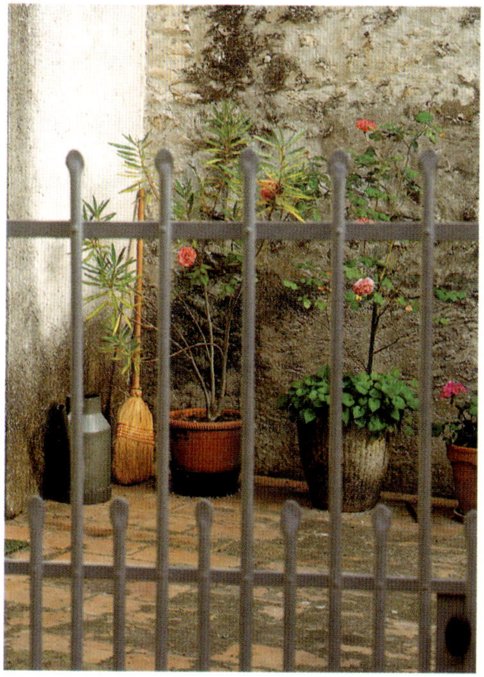
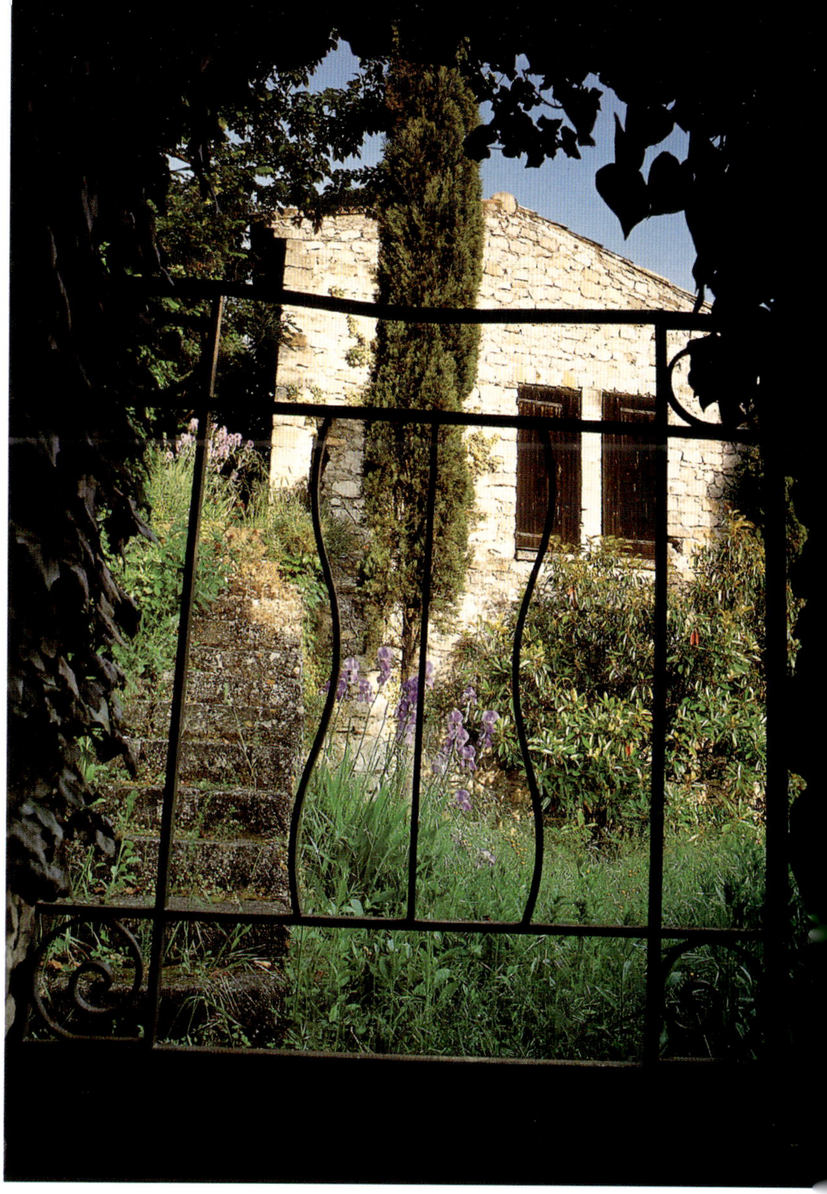
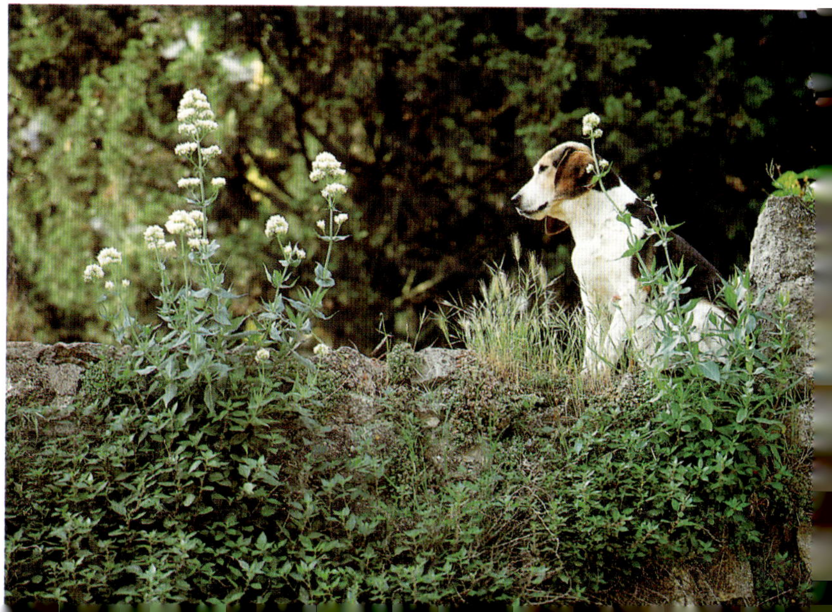

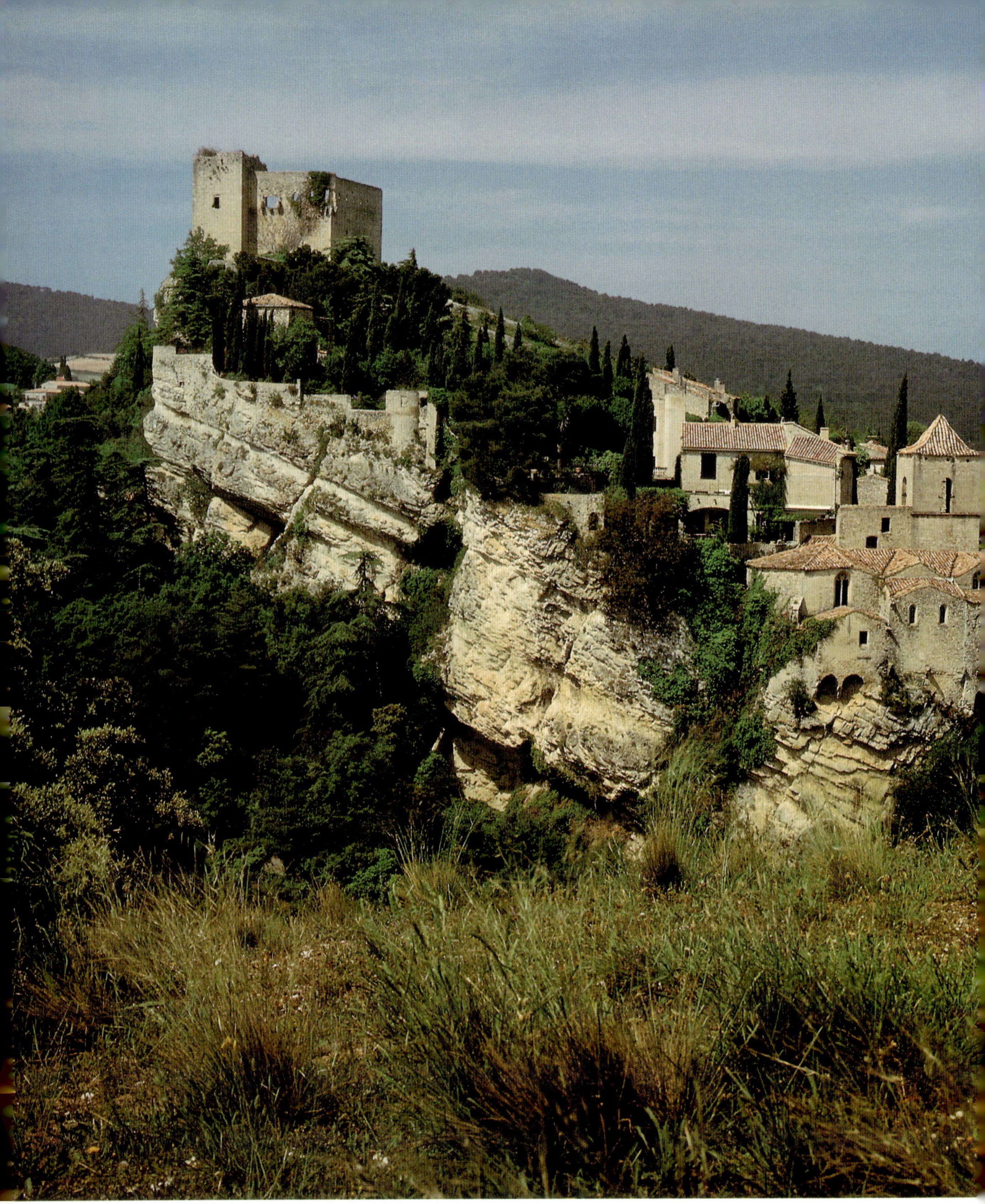

右:教区教会。15世紀のもので、18世紀に増築された。古い村へ上る道の途中に建っている。
左:古い村の頂。トゥールーズ伯の城があり、現在はホテルになっている。手前に広がるのは、断片的に残る中世の要塞。

ヴォクリューズ／ヴェゾン・ラ・ロメーヌ　71

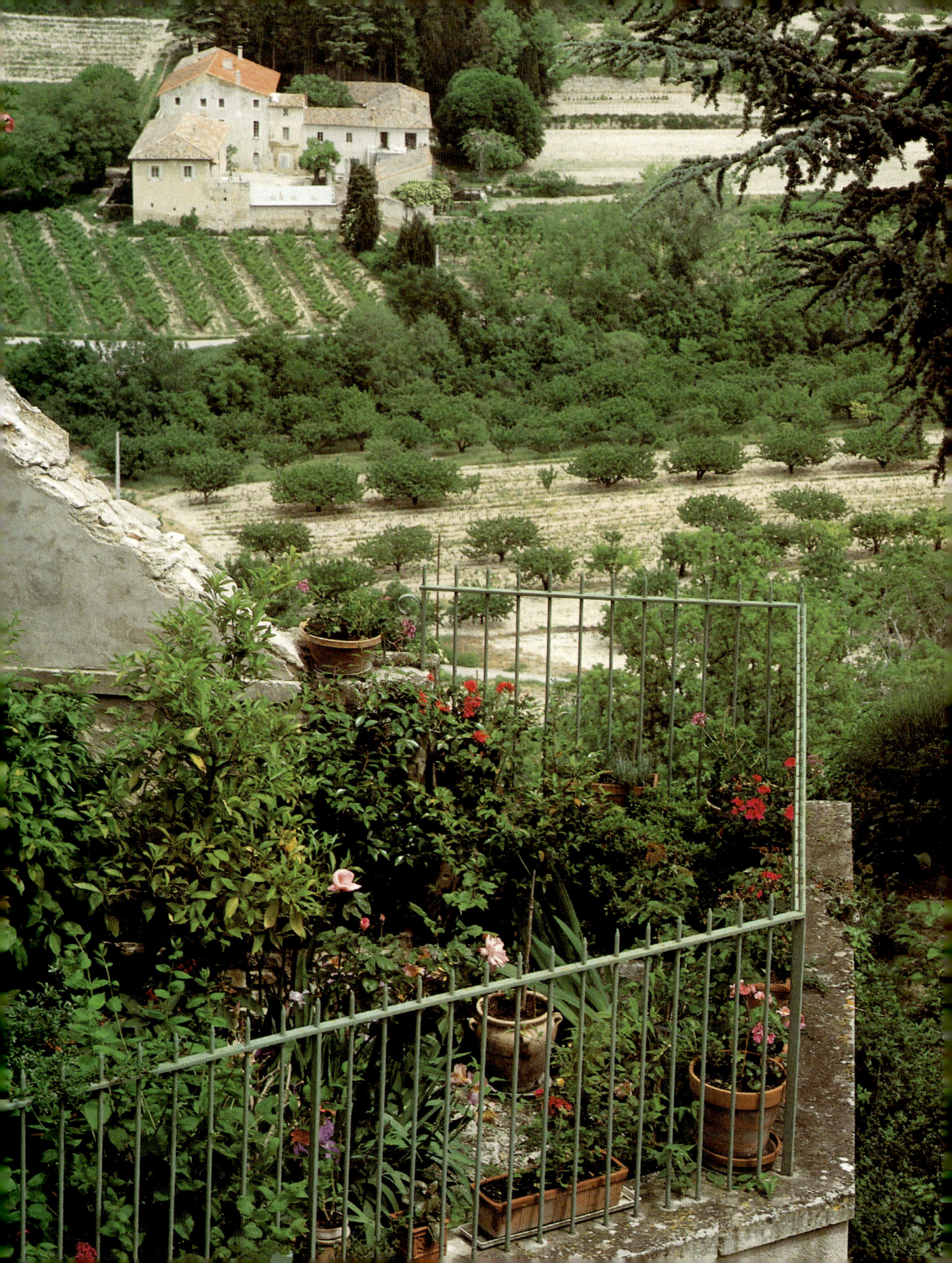

Venasque ヴナスク

VAUCLUSE

　アプトの谷とカルパントラの間に広がる、木の生い茂った峡谷。この迫力ある地の上にヴナスクは位置している。この鄙びた小さな村が、かつてローマ司教の重要な管轄地域で、広いコンタ・ヴネッサンの名前の由来となっているのだから驚きだ。

　ケルト人の入植やローマ人の聖域がありながら、6世紀、ヴナスクはようやく重要な地となった。カルパントラの司教、サン・シフランは、他民族の侵入から逃れここに身を寄せた。その後もサン・シフランの子孫はヴナスクにいたが、10世紀、司教座をカルパントラのふもとの町に戻した。カルパントラはコンタ・ヴネッサンの中心地となり、今でも重要な商業地として栄えている。一方、ヴナスクは、1950年代になると家族数が20にまで減ってしまった。近年では復元が進み、観光事業も成長したおかげで新たな息吹が吹きこまれ、物静かな佇まいを失うことなく洗練されていった。

　崖の縁という驚きの場所にあることや、魅力あふれる小路も素晴らしいが、さらに、ここヴナスクの崖を見おろす高台には、プロヴァンスで最も美しい建造物のうち2つがある。ひとつはロマネスク建築の大きなノートルダム教会。サン・シフランの大聖堂の跡を継ぐため、11世紀に建てられた。内部の厳粛で力強い〈キリスト磔刑図〉には感動すら覚える。そしてもうひとつは、初期キリスト教の洗礼堂だ。

左ページ：ヴナスクの北側にある、今風の立派な屋上庭園。カルパントラへ続く谷を望む。
左上と右：18世紀の噴水。村の魅力ある風景のひとつ。
下：ノートルダム教会と隣接した洗礼堂はまさに傑作。教会はロマネスク建築で、洗礼堂は初期キリスト建築。ロマネスク様式の塔の上には18世紀の手すりや尖塔が。

右：カルパントラの司教が逃げ場所としてヴナスクを選んだのも、この眺望を見ればうなずける。写真は手前の谷から撮ったもので、うっそうとしたコンタ・ヴネッサンに特徴的な石灰石の崖が見えている。後ろの山は、ムール・ネーグル。

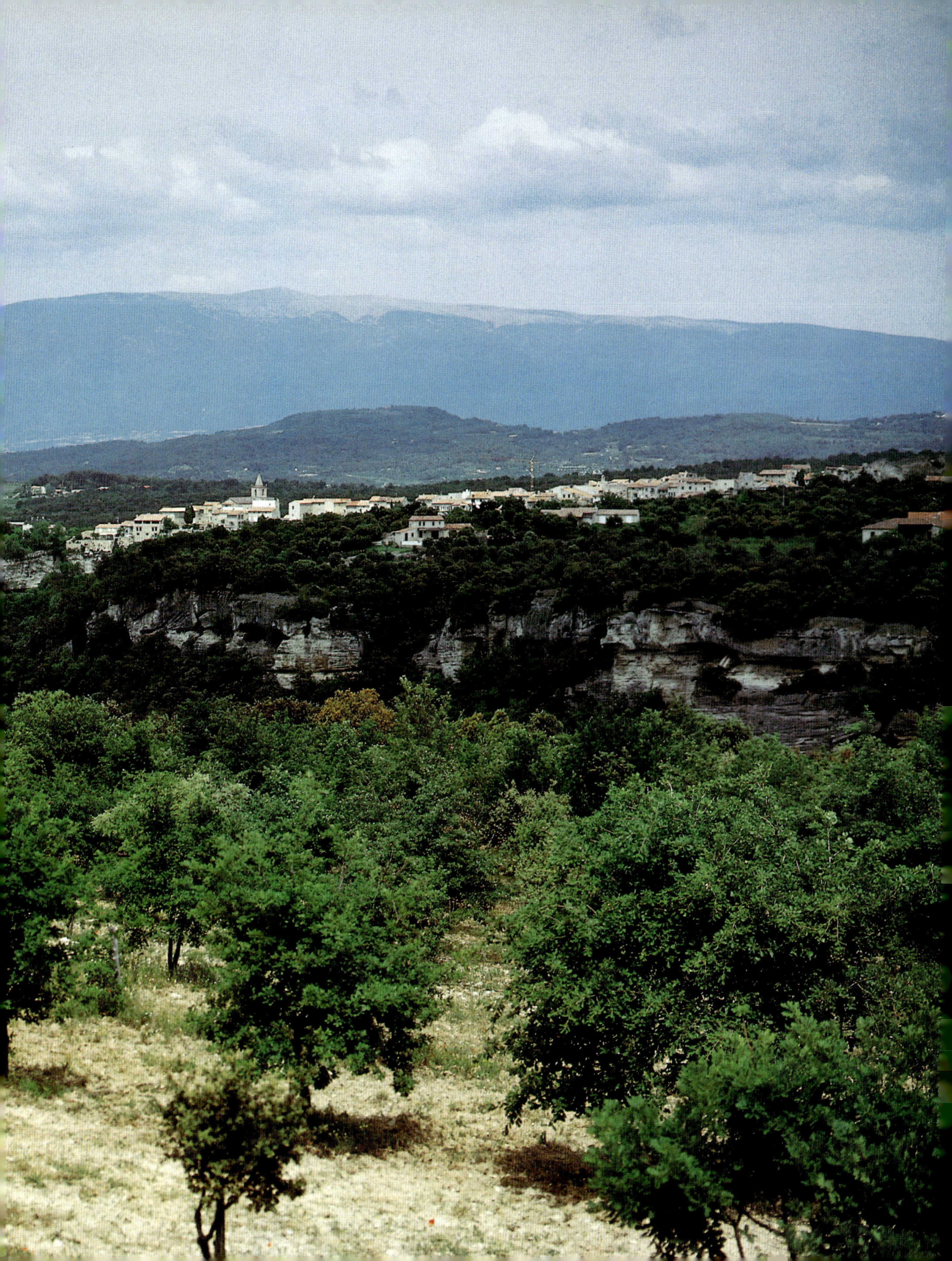

Eygalières
エガリエール

BOUCHES-DU-RHÔNE

アルピーユ山脈の白い頂の下に位置するエガリエール。その独特で荒涼とした景色は、ゴッホの絵で幾度となく目にしたことがあるだろう。さらにいえば、まばゆい光、イトスギの群生、そして、オリーブの老木が縦横に立ち並ぶ岩がちの草地、これらが混ざり合う古びた景色は、はるか昔の情景を切り取ったかのようだ。

ローマの第6軍団は、周囲の乾燥した地域の中に水源を見つけると、そこを拠点とした。後にこの水源からアルルまで水路橋が架けられる。第6軍団はこの地をアクイレイア（水を集めるもの）と名づけ神殿を建てると、水の神に捧げた。神殿があった場所には現在、サン・シクストが隠れ住んでいた小さな教会が、イトスギに囲まれひっそりと佇む。ローマのカンパーニャにある寺院を思わせる純粋で素朴な風景だ。

エガリエールは広くもないし、歴史的に重要でもない。それでも古代からその名を知られていたのは、19世紀の終わりまでつくられていた石臼が、アメリカやトルコ、ロシアにまで輸出されていたからだ。より近年になると、エガリエールの名は、ゆかりある多くの画家や作家によってを広められていった。

村は延々と続く岩肌に悠然と広がり、ルネサンス時代の見事な館、マ・ド・ラ・ブリューニュは特に目を引く。村の頂にある、廃墟と化した城の上には、今風の聖母マリア像が建てられている。

左：エガリエールの高台の村。後ろにアルピーユ山脈がごつごつとした岩肌を見せている。
右：張りだした岩の上はかつてのエガリエールの要塞の地。今ではイトスギや乾いた草に覆われ、ゴッホの絵を見るようだ。

ブーシュ・デュ・ローヌ／エガリエール

上と右：エガリエールの村。生い茂る緑や石造りの建物、そして鉄細工は、プロヴァンスの風景には欠かせない。
左：要塞跡に建つ、白色苦行会礼拝堂。中には、古代や中世のものを展示した小さな考古学博物館がある。
右ページ：要塞の頂にある鐘楼。1672年、村人がギーズ家の支配から解放されたのを記念して建てられた。廃墟となった城の石が使われている。

78　ブーシュ・デュ・ローヌ／エガリエール

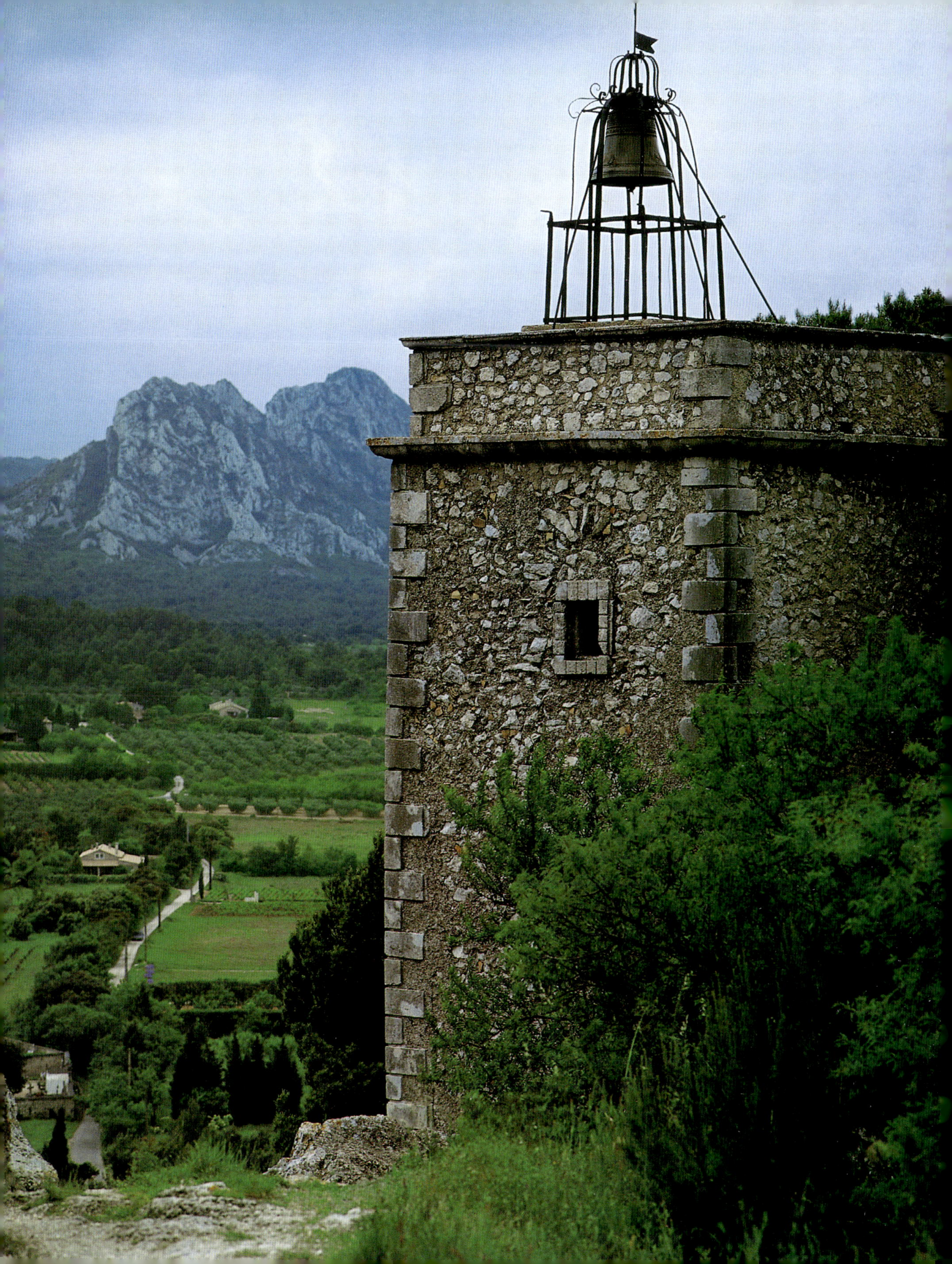

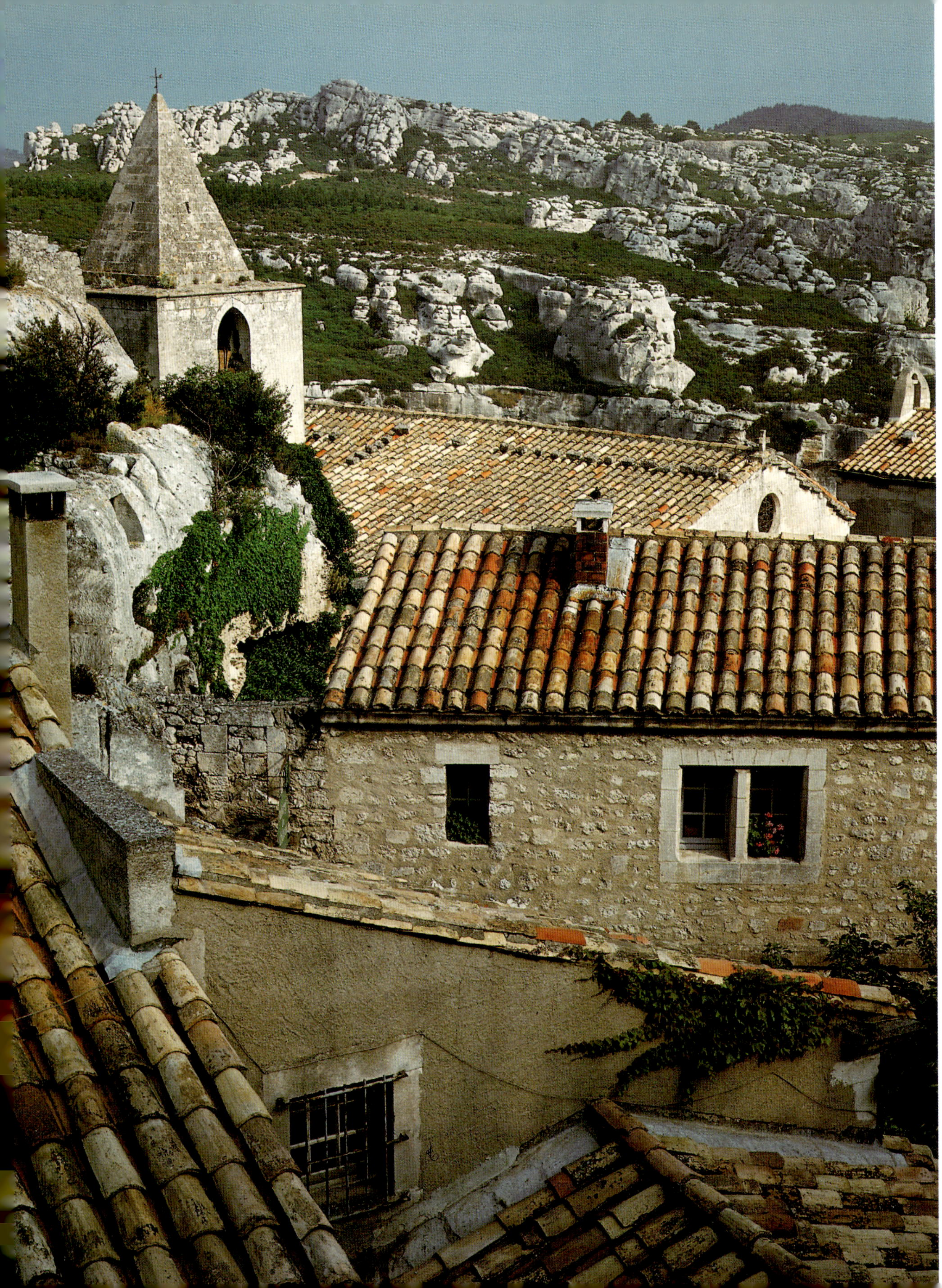

Les Baux-de-Provence
レ・ボー・ド・プロヴァンス

BOUCHES-DU-RHÔNE

　フランスで最も観光客が訪れる地のひとつ、レ・ボー。ほかのどこよりもプロヴァンスの神秘的なイメージに貢献している地でもある。

　今では村の半分が廃墟化し、人口もわずか500人だが、中世には少なくとも6000人が住み、詩人のフレデリック・ミストラルが〈鷲の一族〉と称したことで知られる、不落の一族に支配されていた。ミストラルのようにプロヴァンスを愛した人間にとって、レ・ボーの領主は、勇ましく独立心にあふれたプロヴァンス気質の典型であり、さらにその宮殿も詩や愛の生まれる場だった。レ・ボーで繰り広げられる〈宮廷の愛〉や、そこを訪れ自らの詩でその日の1番美しい女性を口説く吟遊詩人(トルバドゥール)にまつわる伝説が生まれ広まった。ロマン派の作家や旅行者は、レ・ボーの領主の、より残虐な物語に魅了されてきた。特に好まれたのは、15世紀の最後の領主、レモン・ド・チュレンヌの物語。彼の行いはまさに山賊で、囚人を村の端の崖から落として面白がっていた。

　恋愛や山賊の物語に魅せられていなくても、レ・ボーに1歩足を踏み入れれば、想像力をかき立てられずにはいられないはずだ。荒涼とした断崖の頂にあって、アルピーユ山脈のごつごつとした石灰岩を背景に、谷でまっぷたつに分かれている。ダンテはこの風景を見て『地獄編』の1節を思いついたといわれている。

　城の巨大な廃墟の下に位置する小さな村は、たった2本の狭い道から成る。道沿いに並ぶのは、レ・ボーがプロテスタントの要塞として再建され栄えた時代の、ルネサンス様式の派手さはないが立派な邸宅だ。17世紀、村は破壊され、2世紀を経て画家や作家に見いだされるまで、廃墟のまま打ち捨てられていた。要塞の南端にはミストラルと同時代の詩人の記念碑があり、切り立った崖が、ゴッホの絵の題材となった肥沃なアルルの平原を見おろしている。

左ページ:ふもと近くの無人の村。サン・ヴァンサン教会のいかつい塔が、壮大なアルピーユ山脈の巨大な石灰岩を背景に、堂々とした姿を見せる。
上:ひときわ目を引くリンテル(上部の重みをささえるため戸口の上に水平に渡された石)は、17世紀、プロテスタントのコミュニティーとして栄えたレ・ボーが崩壊する直前のもの。
下:中世の要塞の奥に広がる廃墟は、どこか古代遺跡のよう。

左上：村のふもと近く。中心に17世紀の質素な白色苦行会礼拝堂が建つ。
右上と右下：ルネサンスの遺跡の数々が、レ・ボーの魅力を引き立てる。
左下：谷の中にある小さな東屋。中世のプロヴァンス女伯ジャンヌのものと思われがちだが、実は1581年、レ・ボー男爵の妻ジャンヌの命で建てられたもの。マイヤーヌにあるフレデリック・ミストラルの墓はこれを模している。
右ページ：風の吹きつける高台から望む絶景。

82　ブーシュ・デュ・ローヌ／レ・ボー・ド・プロヴァンス

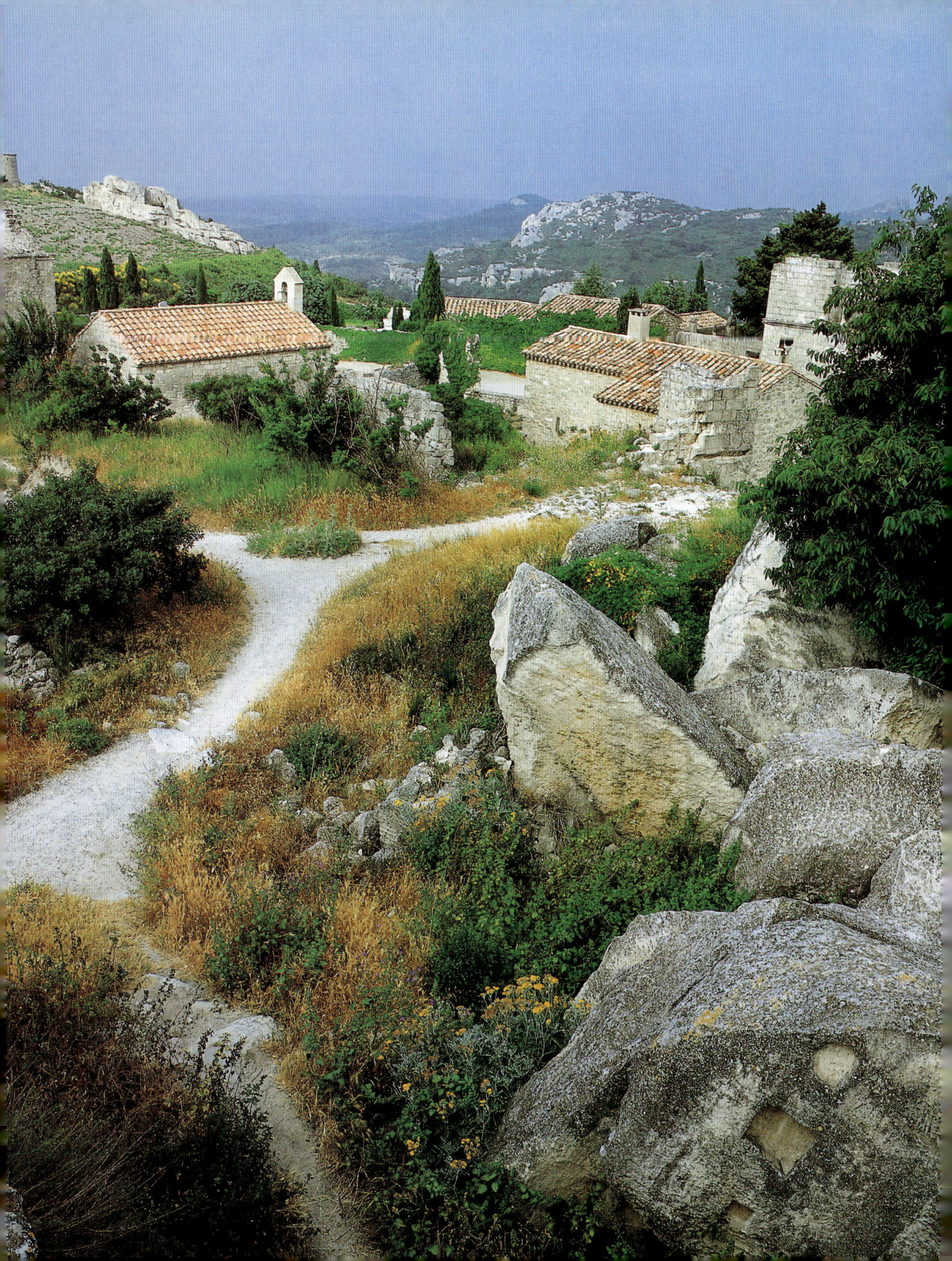

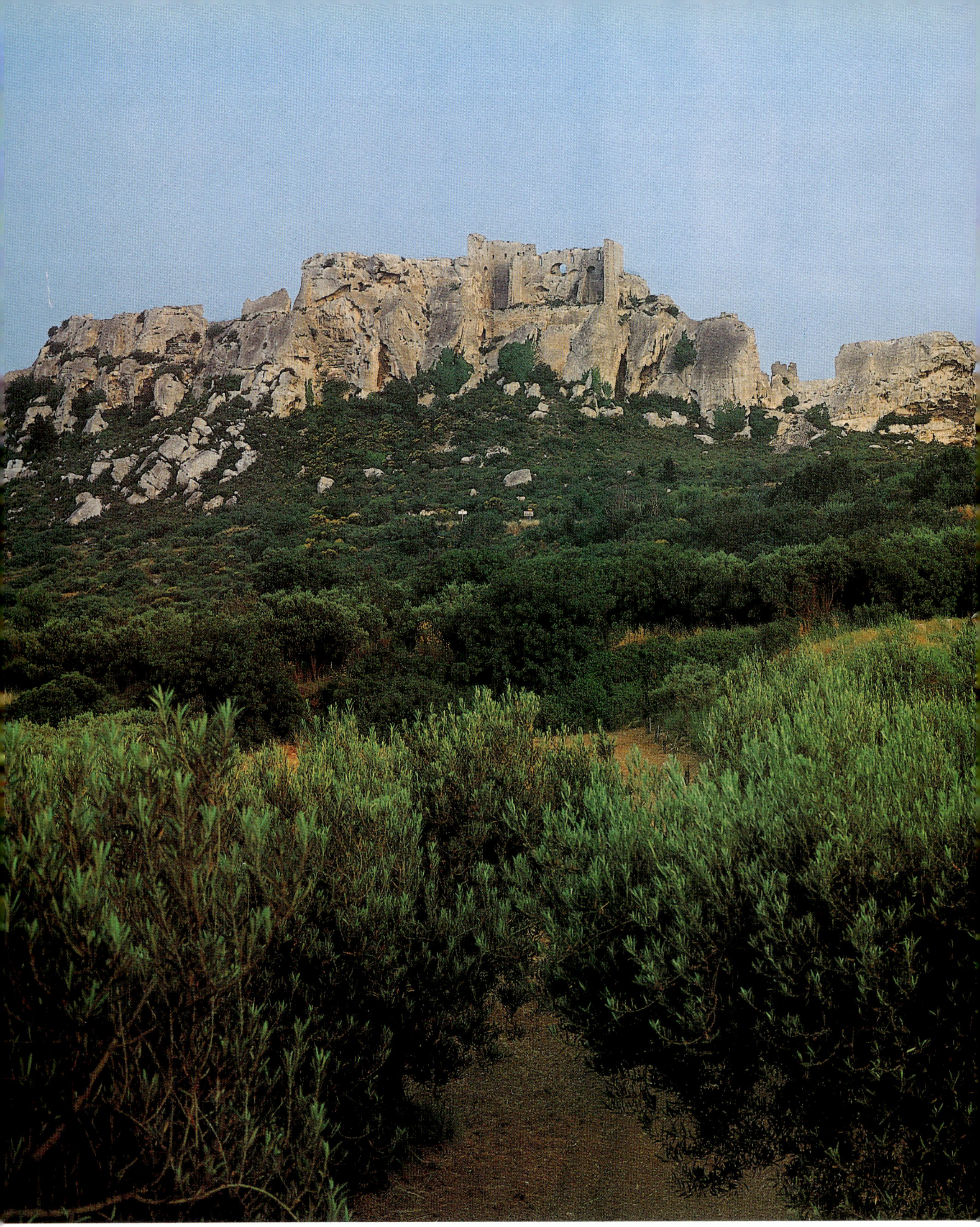

左:レ・ボーの要塞の遠景。白い岩肌やオリーブの木立
(右の2枚)という、からりとした景色の中で幻想的。

ブーシュ・デュ・ローヌ／レ・ボー・ド・プロヴァンス 85

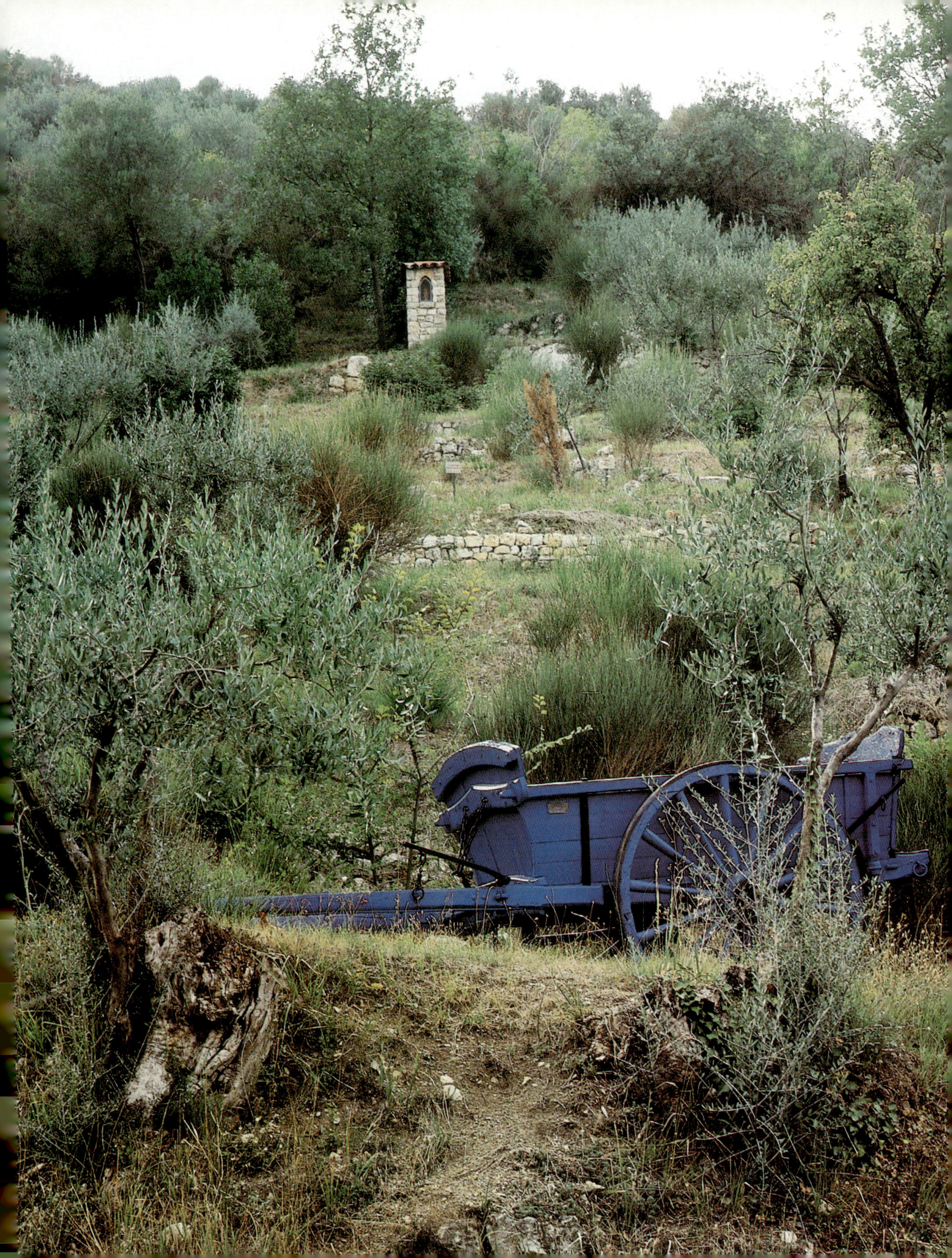

VAR AND ALPES-MARITIMES
ヴァール&アルプ・マリティーム

ヴァールは、フランス随一の森林地帯で、
低地と高地の境にあるワイン生産地の渓谷を離れると、
オークやマツ、コルクガシの木が
うっそうとうねるように茂っている。
山や森のせいで、観光地として知られるようになる
19世紀の終わりまで、人を寄せつけない印象があった。
その頃すでに、隣接するアルプ・マリティームは、
ヨーロッパの保養地のひとつになりつつあった。
一方ヴァールでは、サントロペのような行楽地でも、
1950年代はまだ素朴な漁村だった。
アルプ・マリティームは、
プロヴァンスの中で最も新しい。
1860年、かつてのニース伯領だった地とその西側、
ヴァール川とエステレル山に挟まれた地域につくられた。
穏やかな気候と海岸沿いに色濃く茂る木々で有名だが、
北部は、寂寞として荒々しいアルプスの渓谷だ。
東端の村は、その特徴や伝統にイタリア色が強く、
パスタ料理が広く好まれ、ことばはイタリア訛り、
イタリアン・バロック様式か、ロンバルド・ロマネスク様式の
教会が多く見られる。

左ページ：ヴァール、セイヤンの村の近く。

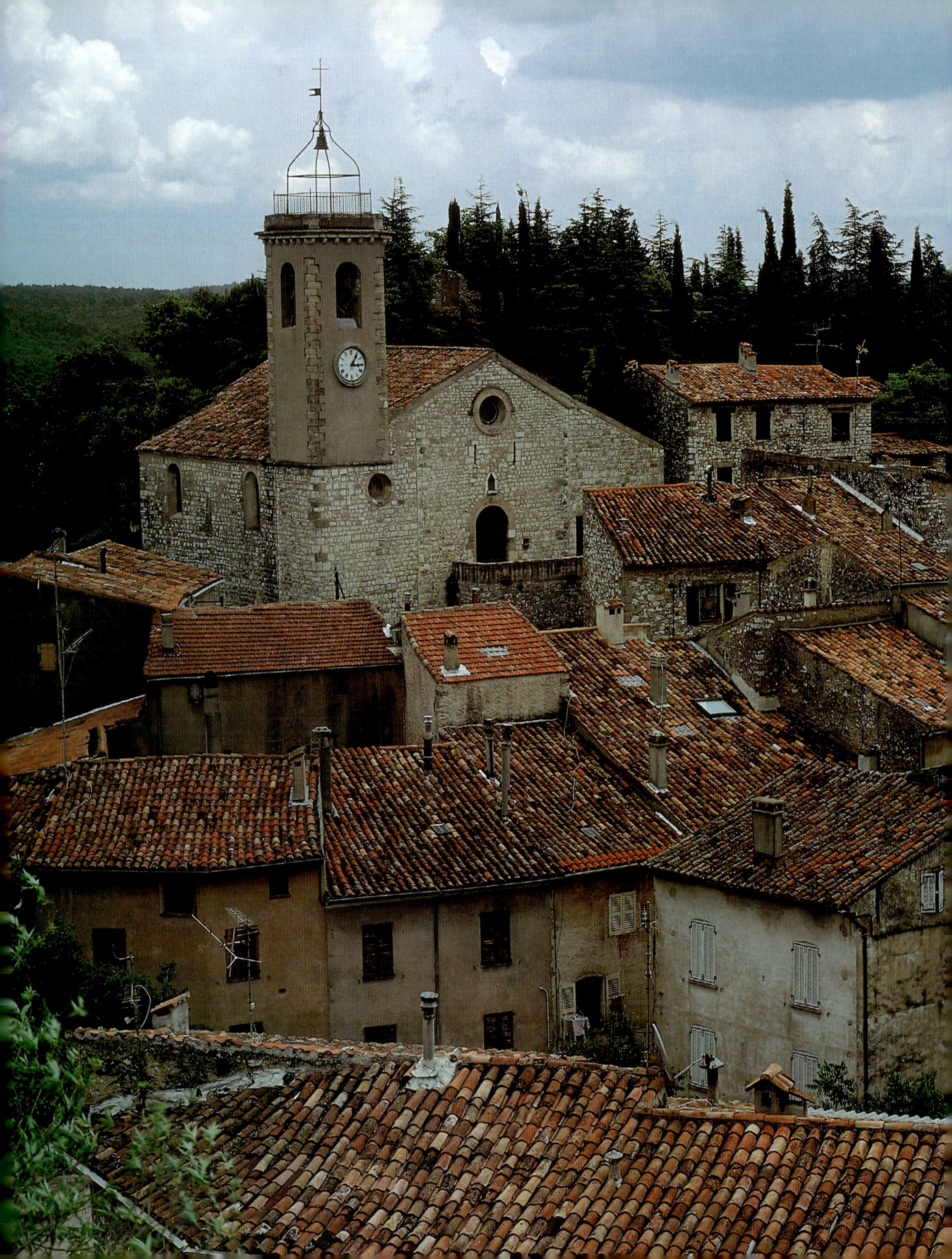

Ampus アンピュ

VAR

　ナルチュビ川の穏やかな流れを眼下に、平原や川、木の生い茂った丘といった素朴な風景を見おろすアンピュ。小さく無名の村だが、ローマ時代には、非常に重要な地だった。アンピュという名はおそらく、アンポリヨム（emporium、市場の意）に由来し、村のあちらこちらにその跡が残っている。

　アンピュは今でも主に農業に頼っており、とりわけ、葡萄やオリーブの栽培、牧羊が盛んだ。丘の上に広がる地域には飾り気のない建物が多く、中には、11世紀から残る質朴な建造物もある。これは、村人がサラセン人に抵抗して戦い、勝利を収めた時に建てたものだ。のどかな中心広場から続くなだらかな坂道を上ると11世紀のアーチがあり、頂にあるロマネスク建築のサン・ミッシェル教会に出る。教会のシンプルな筒型の天井が、16世紀の色鮮やかな大天使像を引き立てている。その後ろには、古い城跡が広がっている。

左：重なり合ように建つ家々がアンピュの村を織りなしながら、簡素で純朴な教区教会を囲む。
右：アロエなどの外来植物が、村の頂のマツと対照的。

左：19世紀の素朴な噴水と、こぢんまりとしたパン屋。アンピュの静かな中心広場で1番生き生きとした風景。
右ページ：アーチの架かった狭い通り。ロマネスク建築の特徴を多く残すサン・ミッシェル教会（右上）へ続く。
右下：伝統的な鉄細工と褐色の屋根瓦が、村を趣ある風合いに。

90　ヴァール／アンピュ

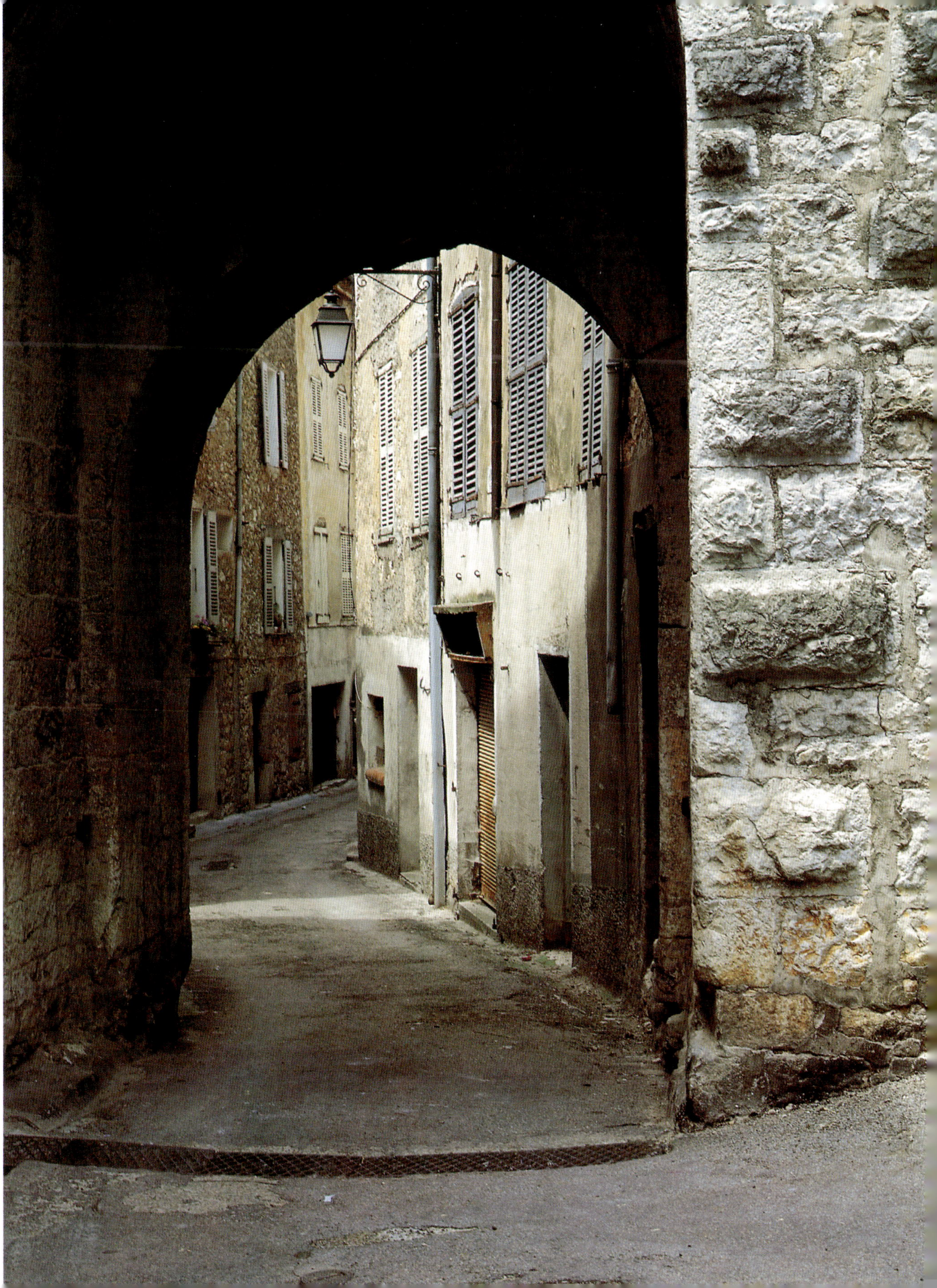

Bargemon
バルジュモン

VAR

　オレンジの木やミモザがこんもりと茂るのどかな丘陵地帯。そこに位置するバルジュモンは、大きくて活気あふれる村だ。温暖な気候や湧き水で知られたことから、ローマ人に大変重宝された。

　サラセン人に破壊された村は、950年頃再建され、頑丈な要塞で囲われた。マルセイユのサン・ヴィクトール修道院の属領になり、その後、プロヴァンスの歴史上大きな役割を果たすことになるヴィルヌーヴ家の、最初の領地となった。ヴァールの丘の上に広がる村や、ふもと近くの地域との商業的な強いつながりに加え、19世紀になっても栄え続けた革製品や織物の産業を通し、バルジュモンは繁栄した。

　バルジュモンには、中世の要塞のほかにも、同時代の石造りの家が多く残っている。家に開口部が少ないのは、見た目というより攻撃に対する備えである。だが村を独特で美しく、夏の盛りになると多くの人が訪れる地にしているのは、木陰の道や噴水に彩られた素朴な広場だ。最も賑わう広場の正面では、巨大な楡の木とルネサンス様式の噴水が迎えてくれる。この広場を見おろすのが、サン・テティエンヌ教会のきらびやかなゴシック式の門。教会は15世紀のもので、城壁に隣接している。元々は監視塔で、今は教会の鐘が収められている。

ローマ時代から知られるバルジュモンの湧き水。多くの噴水に水を注ぎ、村の魅力を引き立てるのに大いに貢献している。上の写真は、クショワールの泉。温泉の上につくられた。

下：愛嬌のある噴水。18世紀のもので、上にアーティチョークがのっている。バルジュモンが市場の村であることをうかがわせる。

1番大きな噴水。楡の木陰の中心広場でひときわ目を引く。

ヴァール／バルジュモン　93

穏やかな気候と体にいい水のおかげで、バルジュモンには立派な家や別荘が建ち並び、その多くに美しい庭がある。

バルジュモンは、ドラギニャンの道から眺めるのが最も美しい(p.96-97)。17世紀のサン・テティエンヌ教会の塔の下、丘の村はこぢんまりとして見える。

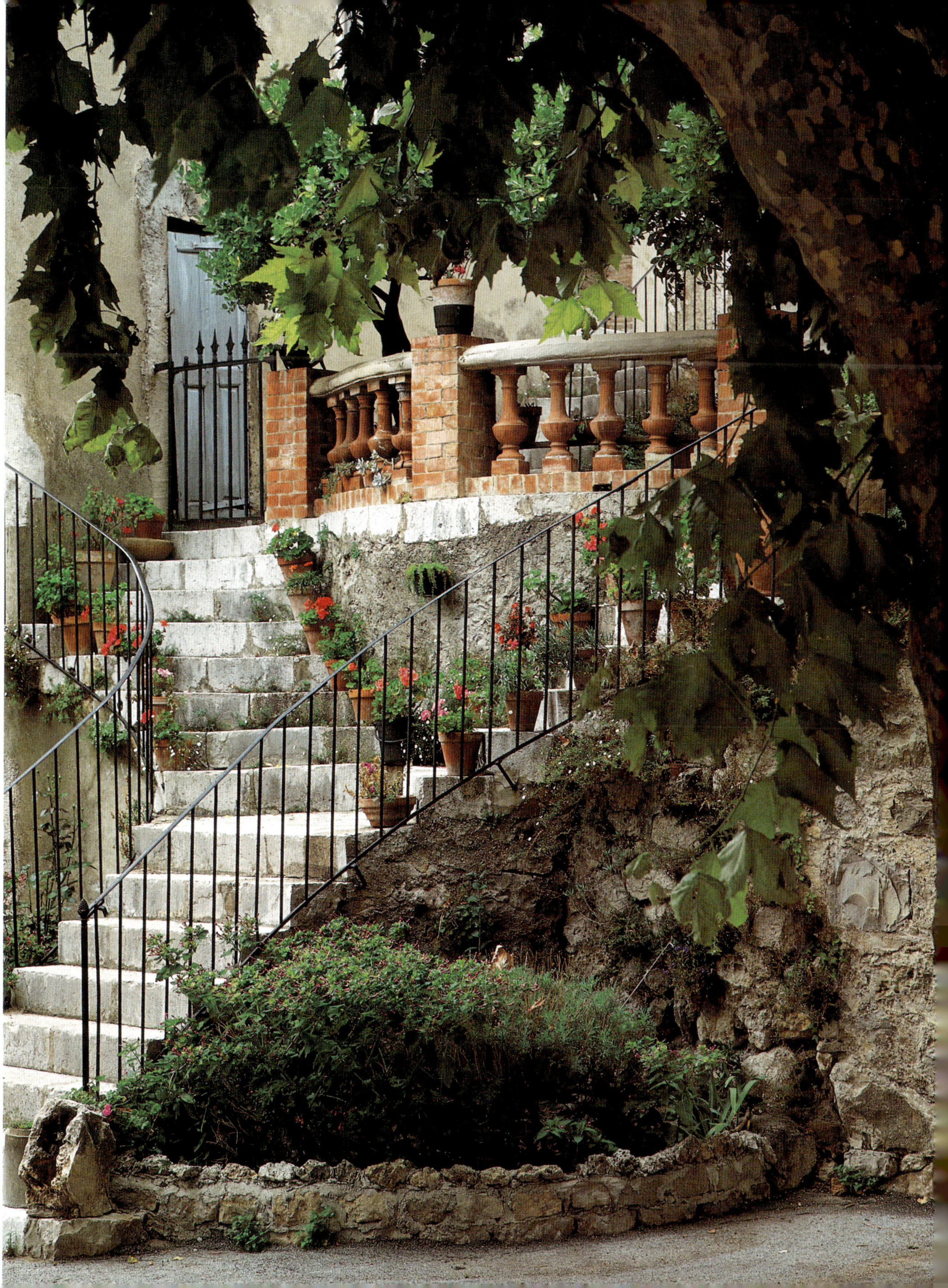

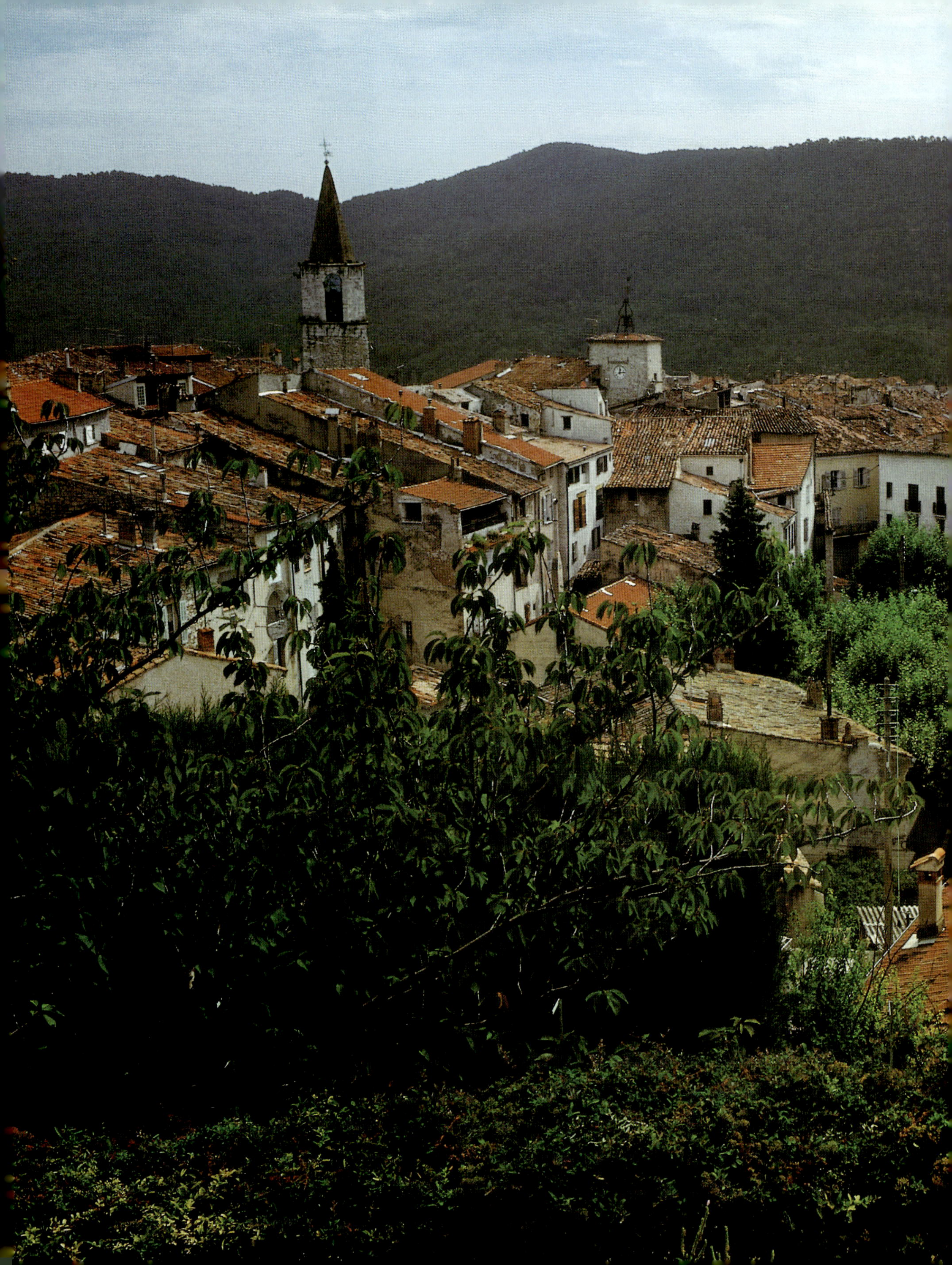

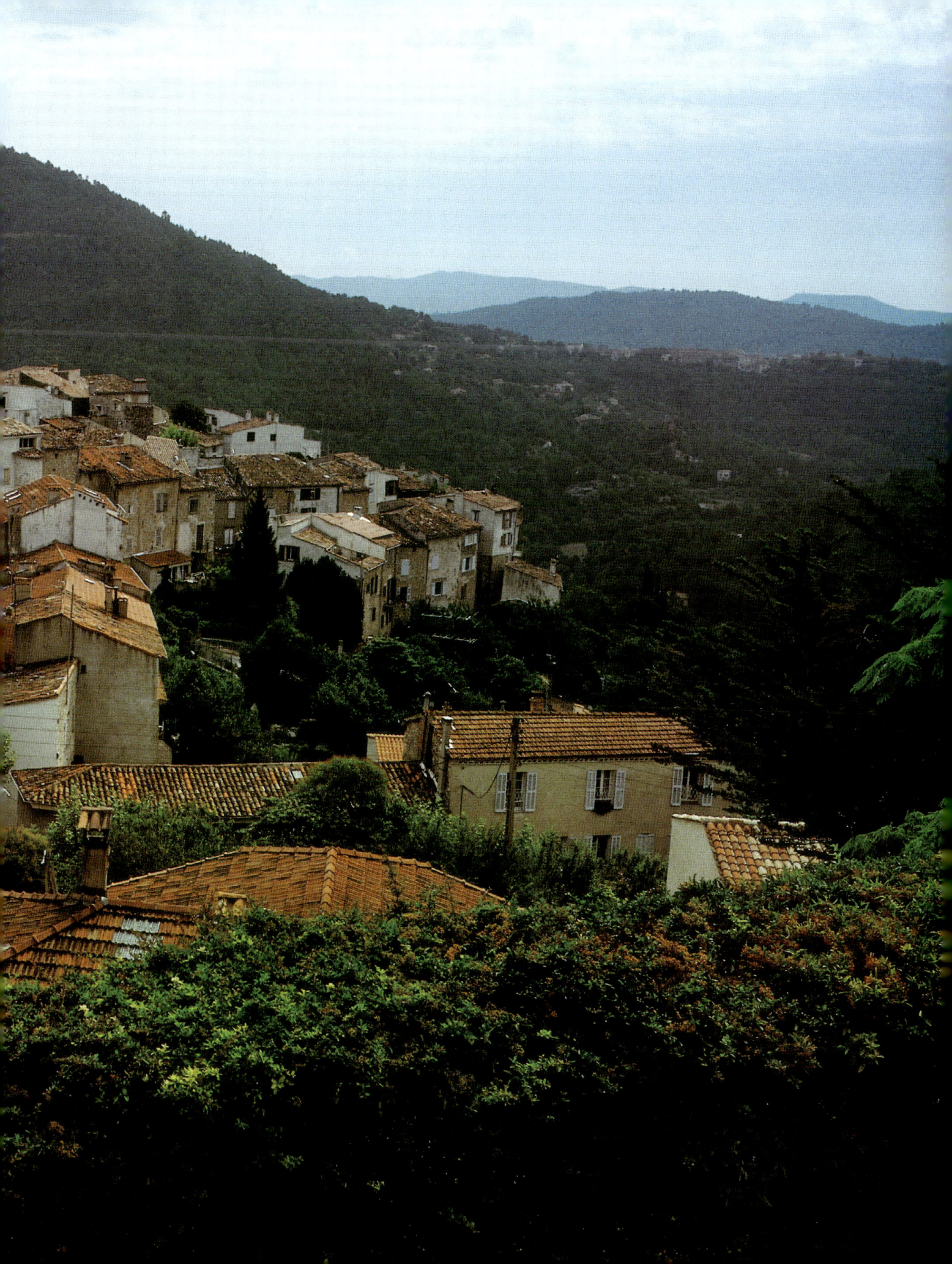

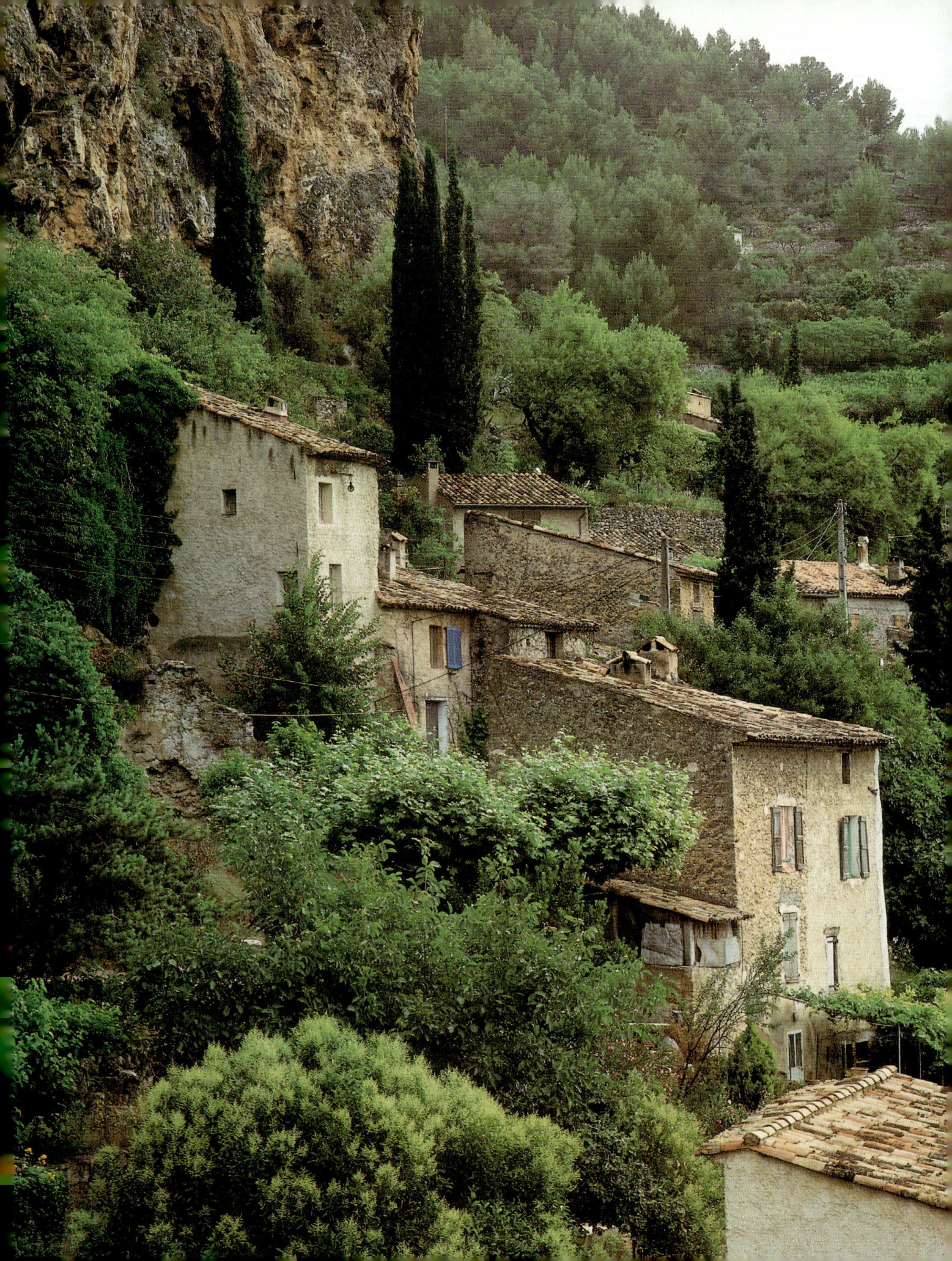

左ページと右：17世紀から風雨に耐えた石造りの家と褐色の屋根が折り重なるように続き、後ろに見える穿たれた崖と混ざり合う。岩肌がえぐられているのは、要塞化した太古の穴居が多くあり、戦争の際に避難場所として使われてきたため。

Cotignac
コティニャック

VAR

　かつては人の住んでいた洞穴が点在する高い崖のふもと。この思いもよらない場所にコティニャックはある。村の起こりはほとんど知られていないが、元はケルト・リグリア人が住み、ケルト語で岩という意味の名前をつけたというのが通説だ。ローマ時代に人が住まなくなり、5世紀を過ぎると再び、ユダヤ人が入ってきた。これはエルサレム旧市街があることや、最近までシナゴーグがあったことで裏づけられる。コティニャックの全盛期は17世紀、聖母マリアと聖ヨゼフが現われお告げをしたことで村が非常に裕福になり、教会にも王室にもひいきにされた時代だ。さらに、19世紀の終わりまで製革業や製糸業が栄え、人口は3500人を超えるまでになった。

　コティニャックを訪れた者は誰でも、木陰の道をひと目見れば、エクス・アン・プロヴァンスのミラボー通りにヒントを得たという、プロヴァンス中で最も美しいといわれる景色に思わず息をのむ。カフェ、プラタナスの並木、毎週開かれる市場、そして目玉となる、四季をモチーフにした18世紀の見事な噴水。とても賑やかで、つい長居してしまう。奥に入るにつれ村は

静かになり、雄大な断崖に近づくにつれ朽ちていく。すべての道は、荒廃しかけた細長い広場へと続く。そこにあるのは下を通りぬけられる時計台。また、崖に寄りそって建つ18世紀の村役場は、古い人形の家のようだ。その奥の険しい坂には、もう使われていない忘れ去られた古いオリーブオイル搾油所があり、より神秘的な雰囲気を醸し出している。

コティニャックの中心。生きいきとして心が和む景観を残している。写真の小さな店（上の2枚）も100年以上変わっていないようだ。中でも目を引くのは、木陰の通りに面した金物屋。木でできた正面はアールヌーボーだ。村の中心となる通りでは、毎週火曜日、朝市が開かれる（下の2枚と右ページ）。

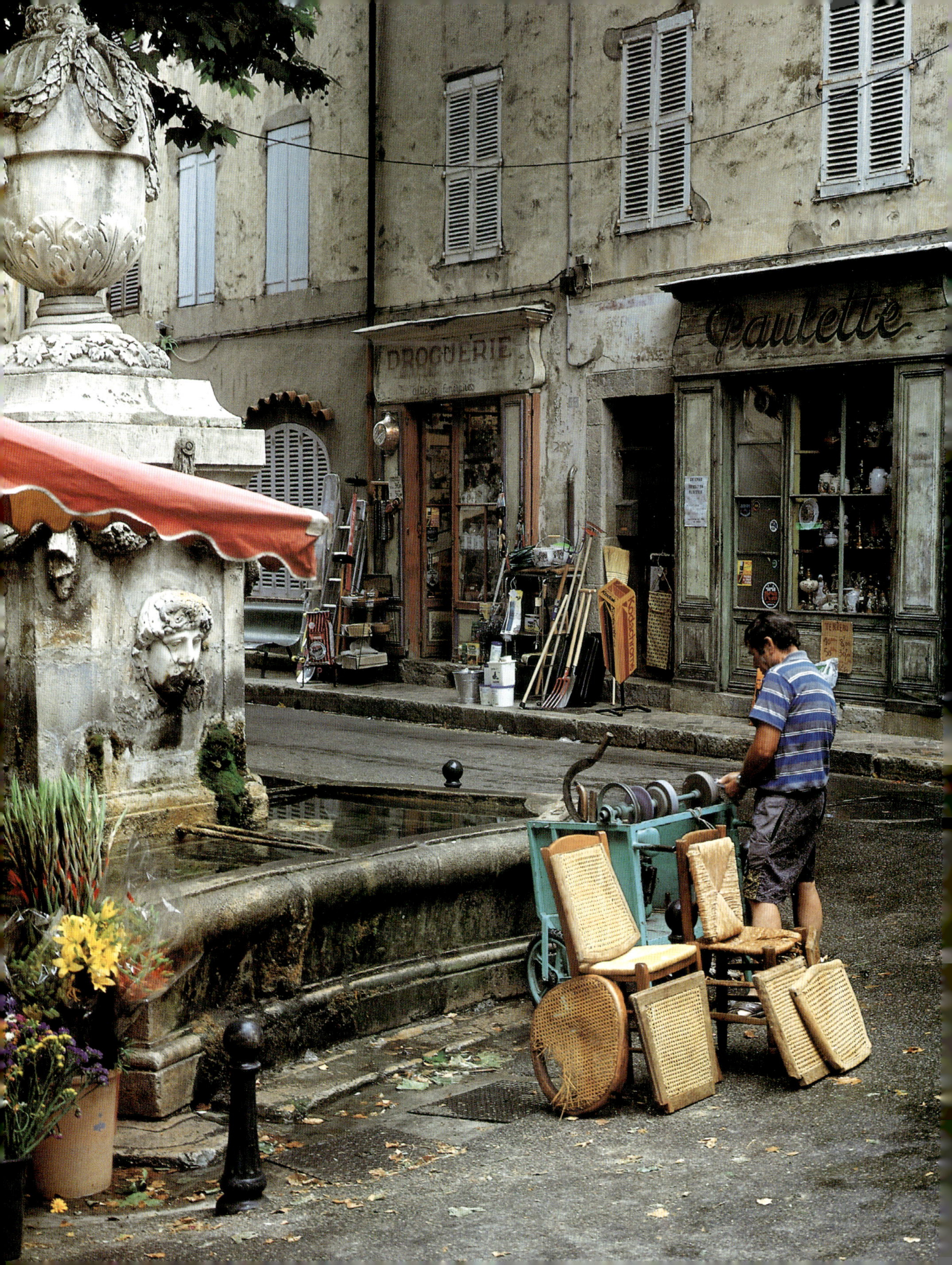
DROGUERIE
Paulette

左：フランス国旗が、おもちゃの家のような村役場に色を添える。噴水の映えるこぢんまりとした広場（右上）へ続く脇道から撮ったもの。
右下と右ページ：緑鮮やかな草花。村と自然の背景が見事に溶け合う。

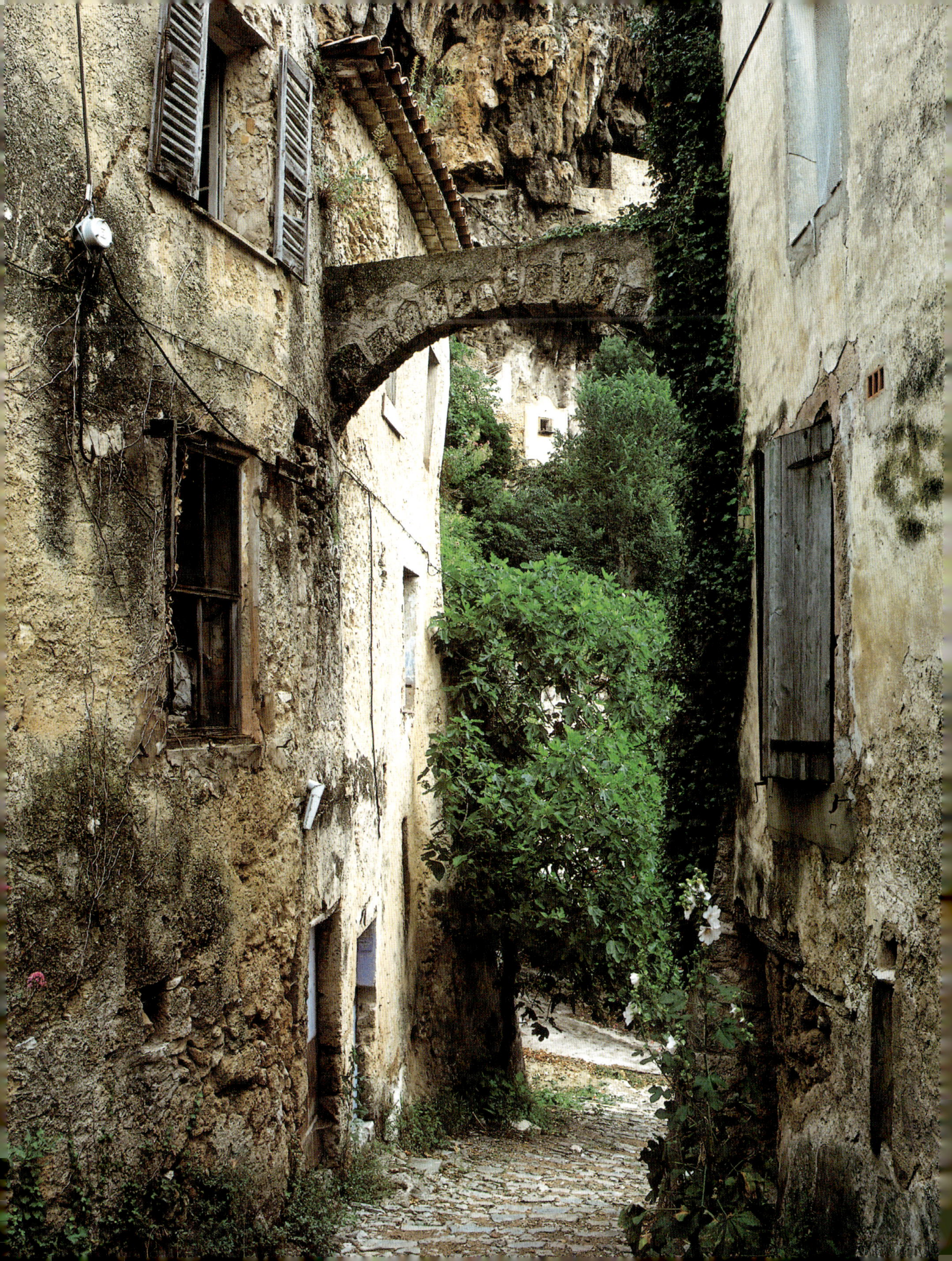

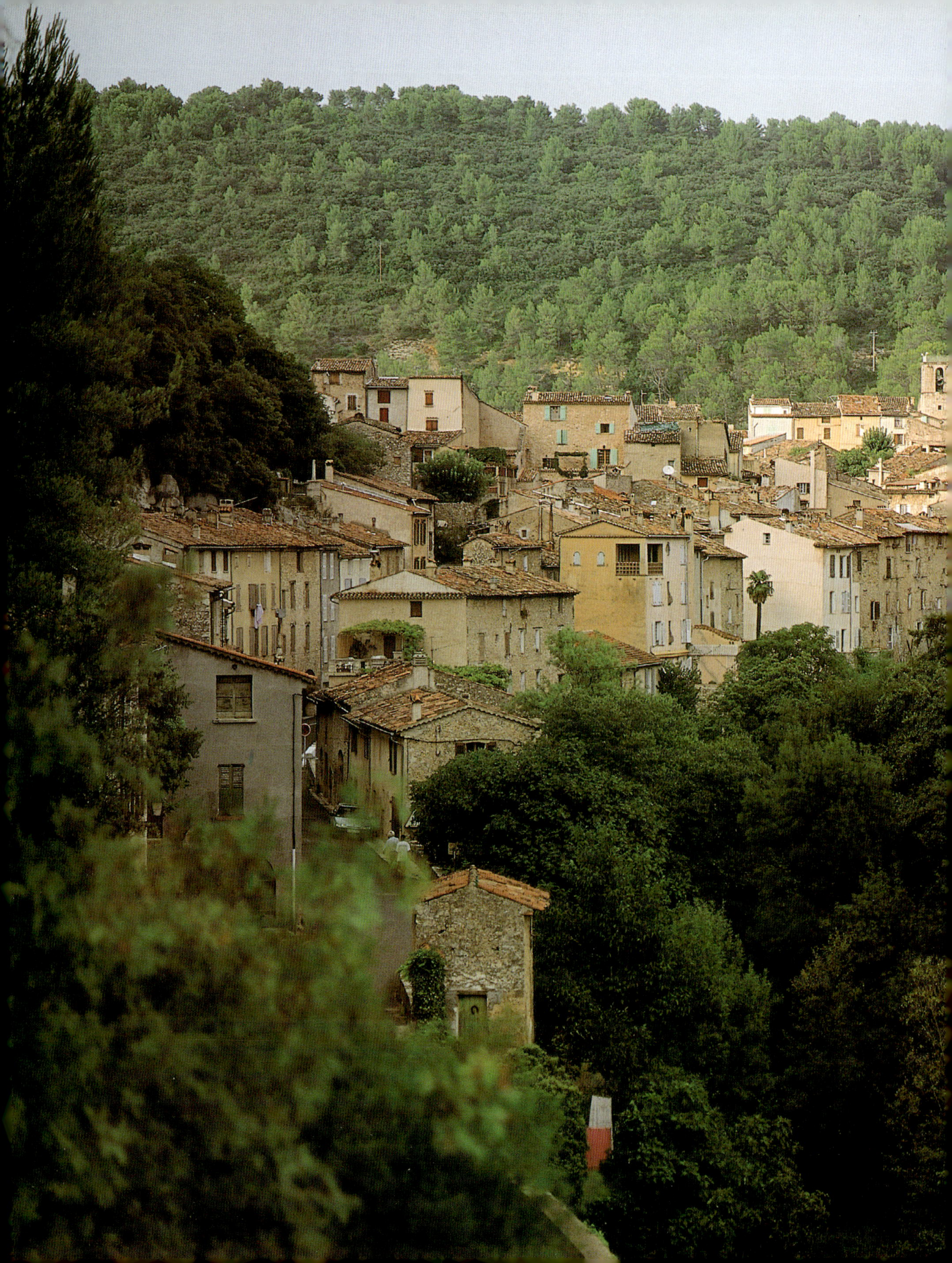

Entrecasteaux
アントルカストー

VAR

　宝石のように美しい村アントルカストーは、2つの丘に挟まれて、木の生い茂った小さな谷にまたがり広がっている。プロヴァンスのほとんどの村は周囲を一望できるのに対し、アントルカストーは完全な内陸の村である。

　村の全歴史を振りかえると、その中心にいるのは多彩な顔ぶれの貴族である。特に注目すべきはグリニャン家とブルニー家。どちらもアントルカストーの領主だった。16世紀、グリニャン伯爵統治の時代、村は優遇されるようになる。さらに17世紀、有名な書簡作家セヴィニエ夫人の娘婿、フランソワ・ド・グリニャンの代になると、その初代アントルカストー侯爵兼プロヴァンス副知事としての地位にふさわしく、村はより広い面積を与えられる。だが、侯爵の浪費生活がたたり、1714年、裕福なブルニー家が台頭してくると、グリニャン家は住んでいた城を売る羽目になった。

　傲慢なブルニー家の中には、フランス会計総務やかの有名な提督もいたが、プロヴァンス高等法院長ジャン・バプティスト・ブルニーが妻を殺してリスボンへ逃亡、わびしい獄中生活の末1785年に死んでからは、グリニャン家同様、アントルカストーの名誉ある地位を失わせるばかりだった。華やかな時代が過去のものとなった村は、1974年、スコットランド生まれの変わり者、イアン・マクガーヴィー・マンが城を手に入れると、少しだが精彩を取り戻す。マンは画家でもあり、外交官でもあり、短期間、グアテマラ海軍の最高司令官も務めた人物だ。

　18世紀以来、アントルカストーの外観は、ほとんど変わっていない。石畳の道には、16世紀から17世紀の素朴な家が建ち、舞台の背景を見るようだ。中でも心を和ませてくれるのはカフェの並ぶ木陰の遊歩道で、細いブレスク川を挟んだ向こう正面に城が見える。城の目の前には、偉大なる造園家、ル・ノートルが手がけたという本格的フランス式庭園が広がる。

サン・ソヴァール教会が、木に覆われた谷の一角を見守る。アントルカストーがあるのもここ。

ル・ノートルは、ベルサイユ宮殿のオランジェリー庭園のために描いたデザインやスケッチをセヴィニエ夫人に譲り、娘婿にアントルカストーで使ってもらおうとしたといわれている。だが、本格的な庭園が完成するのは1781年を過ぎてからだった。今では、木陰の遊歩道に面した公園(上)になり、プロヴァンスでおなじみのペタンクをするのにうってつけの広場となっている(右)。

ヴァール／アントルカストー

Les-Arcs-sur-Argens

レザルク・シュル・アルジャン

VAR

レザルクの頂近くで見られる古い中世の家々（上）。周辺の石が使われ、ピンク色がかっているのが特徴的。裏側には家庭菜園が（右）。フランスの田舎料理とは切っても切り離せない。

ヴァールにある中世の村の中でも、手つかずのまま残るレザルク。ローマ時代から重要な交易路として栄えたアルジャン川流域で葡萄園に囲まれている。村名のArcsは、使われなくなった水路橋か、かつて地元の川に架かり今では荒れ果てた、ローマ時代の大きな橋をさしているのかもしれない。この橋はレザルクにある中世の遺跡の中でも最大で、権力のあるヴィルヌーヴ家に支配されていた頃のものだ。ヴィルヌーヴ家の歴史は、カタルーニャのプロヴァンス伯の歴史と密接なつながりがある。そのひとり、ロミー・ド・ヴィルヌーヴは、レーモン・ベランジェ4世の重臣だっただけでなく、ダンテが著した『神曲』の〈天国篇〉にも記述されるほどその名を知られている。後の、アルノー・ド・ヴィルヌーヴの娘といえばサント・ロズリヌだ。まだ10代の頃に一家の富を拒み、地元で人望が厚かった。彼女の遺体はミイラにされて、近くにあるかつての修道院ラ・セルに、崇拝の対象として今も安置されている。

村でひときわ高くそびえているのは、12世紀のヴィルヌーヴ城のがっしりとした塔だ。サント・ロズリヌは1263年、この城で生まれた。かつてプロヴァンスで最も重要な城だったが、今は豪華なホテルになって、家の屋根や葡萄畑を見おろしている。

急な石段を上ると、元の中世の砦の中に、パラジュという小さな区域がある。ここがレザルクで1番古く、1945年から1971年にかけて大々的に修復されると、ひっそりとした魅力に中世らしくやや気高い趣も加わった。この中世の区域は、美しい鉄細工の鐘楼の下にある小さなアーチの向こうに広がり、その奥の村にはより賑やかな雰囲気が漂っている。

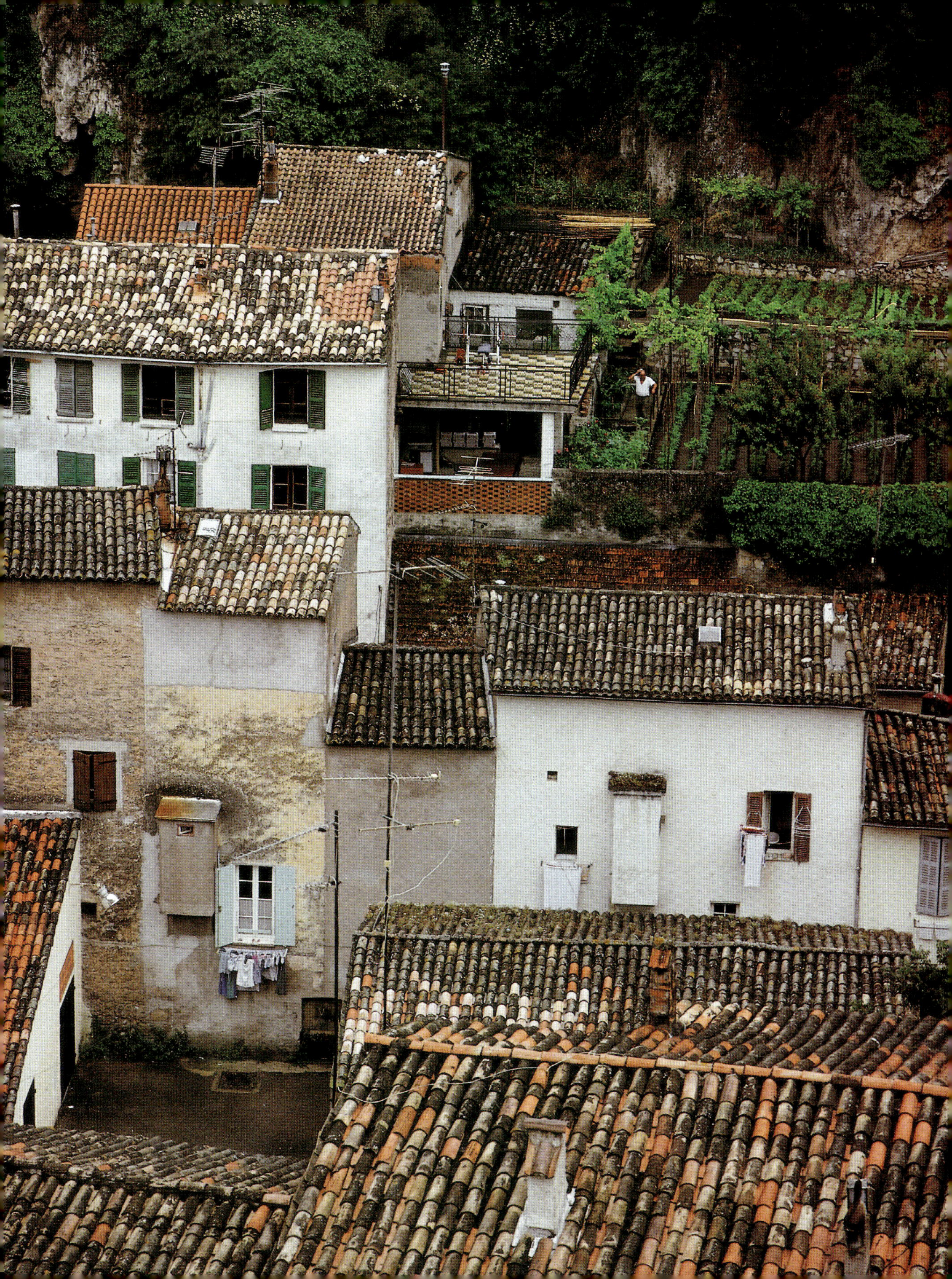

石段の上、砦に囲まれたパラジュには、中世のものが多く残る。高く堂々とそびえる12世紀の塔（右ページ）は、城の広い出入口だけでなく、地域の記録や公文書も守っていた。今では豪華なホテルに華を添える役割を担っている。

ヴァール／レザルク・シュル・アルジャン　III

Seillans セイヤン

VAR

　ヴァールの頂近くにある丘の村の中で、最も古いセイヤン。ピンク色を帯びたオークルの家々が、エニシダやオリーブで明るく彩られた緑濃い高台の上から、肥沃な田園地帯を見おろしている。

　セイヤンは、新石器時代やケルト・リグリア人の遺跡が豊富な地域に位置し、紀元前2世紀、この地を支配したローマ人がふもと近くの平地に大きな集落を築いた。暗黒時代に幾度となく略奪され、村人が鍋に油を煮立たせ、侵略者を撃退しようと試みたが失敗した。そこから、村にはプロヴァンス語で鍋を意味する〈セイヤン〉という名がついたといわれている。その後は以前に比べれば平和になり、目立つの

上:写真家ロベール・ドアノーの作品の複製が、家の窓の奥に見えている。この家にはかつて画家のマックス・エルンストが住んでいた。
右:趣のある明かりに照らされた屋外のカフェ。高台の上にあり、丘の村を幻想的な雰囲気にしている。

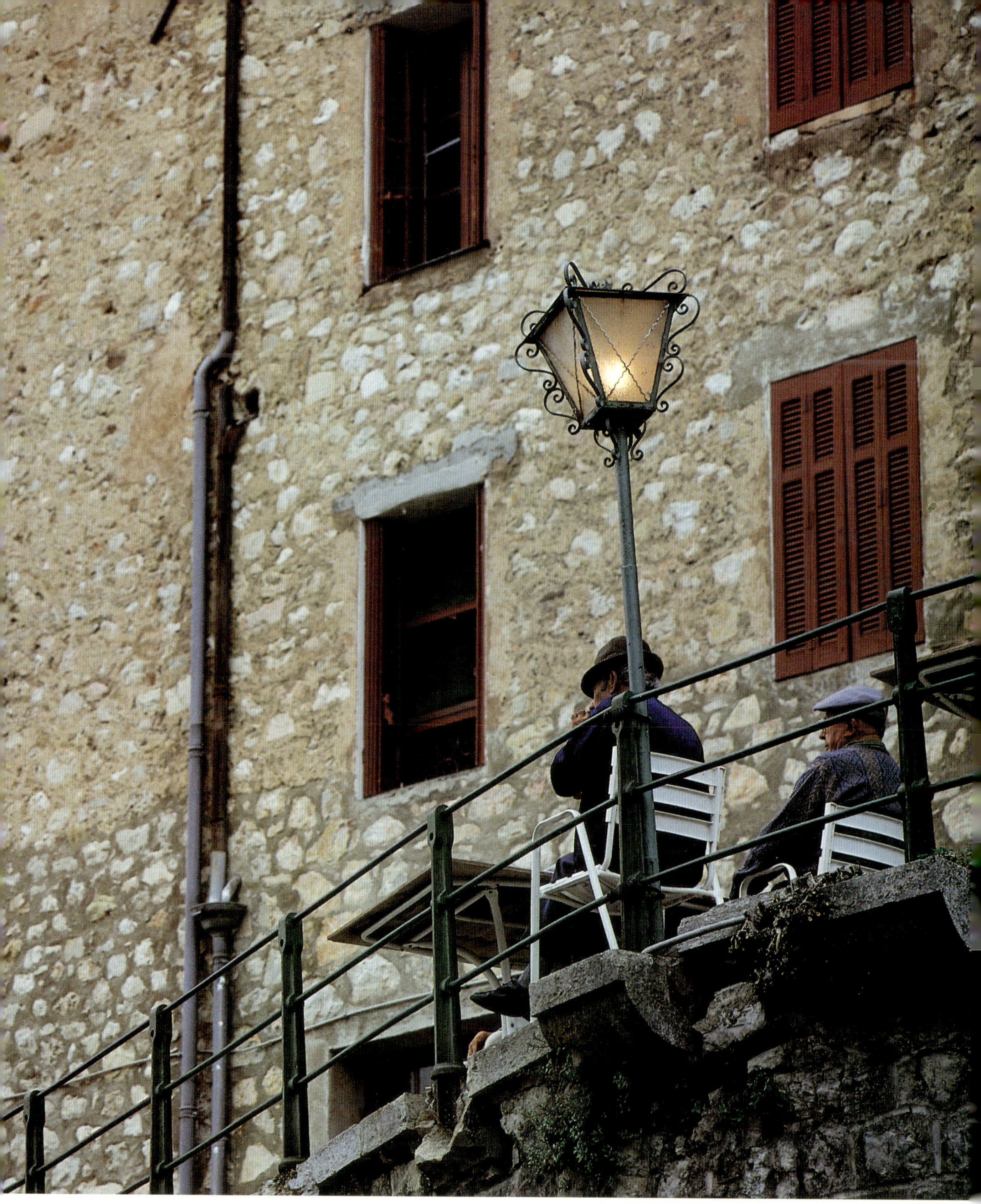

は領有権をめぐる争いくらいだ。19世紀後半、村がひっそりと孤立してしまうと、サヴィニー・ド・モンコール子爵夫人は、土地の園芸産業を拡大し、香水の工場を建て、住民を新たに雇うことにした。同じ頃、作曲家のグノー、作家のジャン・アイカールやアルフォンス・ケェールなど、芸術の世界で名を成した人たちがこぞって訪れるようになる。シュールレアリズムの画家、マックス・エルンストは1962年、セイヤンに移り住むと、1976年、この地で生涯を閉じた。

とはいえ、エルンストの、再三にわたる、無意識を表現しようという性的で過激な試みと、何とも美しいセイヤンの村とを結びつけるのは難しい。はるか昔から残る、非常に繊細で上品な趣を醸し出した中心地には、店1軒を建てることすら許されない。

すき間なく並んだ背の高い家にしつらえた3つの入り口。そこをぬけると古い村セイヤンはある。これらの家は元々最も外側の砦を成していた。石畳の路地を上ると、こぢんまりとした広場があり、17世紀の教会の前では噴水が水を落としている。丘の頂にあるのは、個人所有の城。実は、11世紀から17世紀の美しい建物群だ。

トゥロンの広場にある噴水(左下)は、石畳の険しい坂(左上、左中央、右ページ)の途中で、ほっとひと息つける場所。
右：鍛冶屋。消えつつある伝統的な暮らしを頑なに守り続けている。利益のためというより、楽しみのためだろう。

114　ヴァール／セイヤン

ヴァール／セイヤン 117

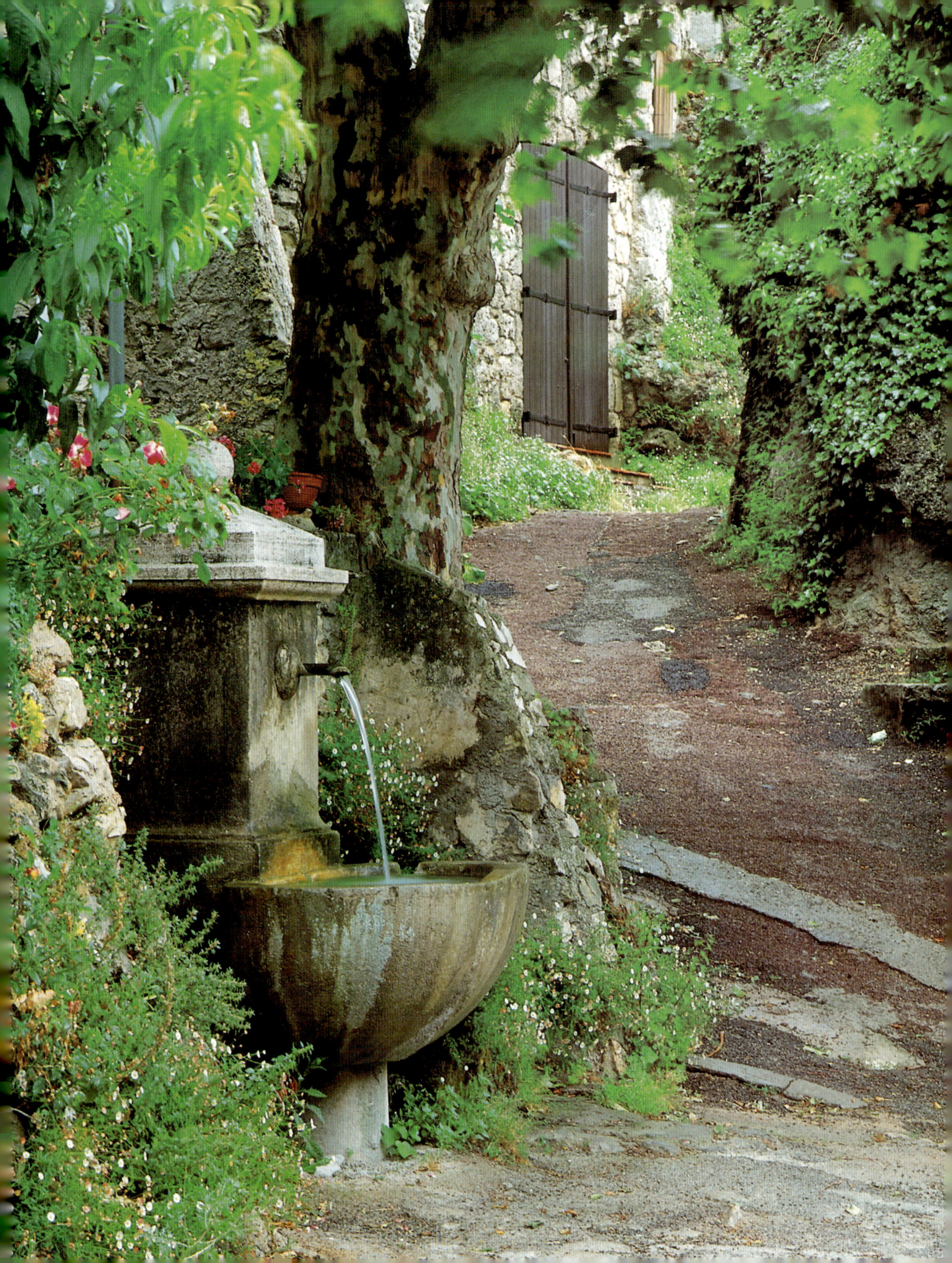

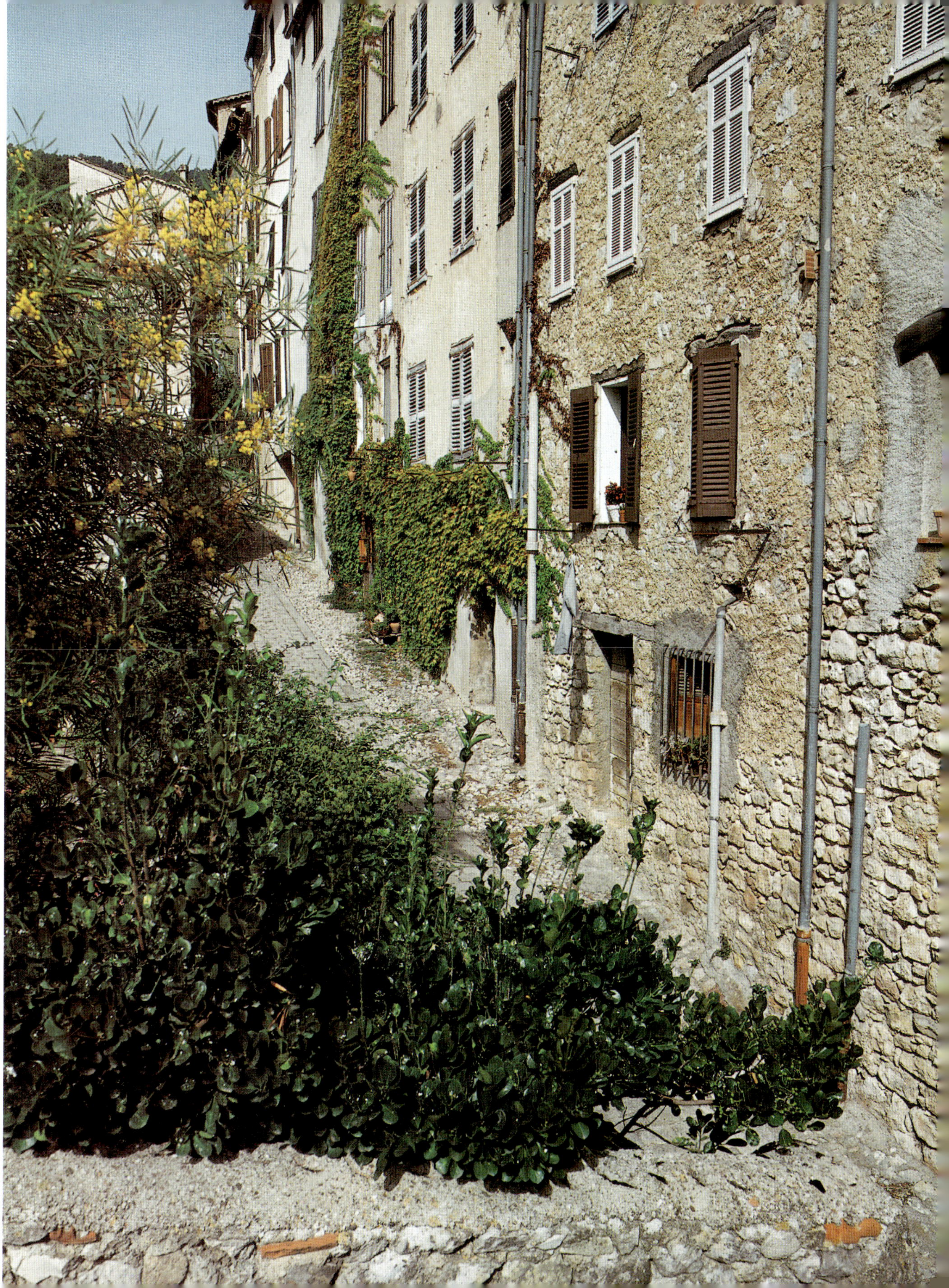

左の2枚：朽ちてなお美しい城のすぐ下で、セイヤンの村は、高台に茂るオリーブに囲まれ広がっている。
右：村から望む絶景。プロヴァンス独特の褐色の屋根、イトスギ、オリーブの木が美しい。

Tourtour
トゥルトゥール

VAR

　ユグノー戦争ともフランス革命ともかかわることのなかったトゥルトゥールは後に、観光の中心地として名を成す。

　トゥルトゥールには、美しく魅力的な場所が数多い。アーチの架かった小路、中世の家や門、小さな教会が3堂、そして、蔦に覆われた岩に流れる滝。何よりも独特で印象的なのは、この地が、木の生い茂る、なだらかな曲線を描いた山の頂にあるということだ。この頂に立てば、はるか遠くのサン・ラファエルの海からモン・ヴァントゥまですべて見渡すことができる。おかげでトゥルトゥールは、〈空中の村〉という名がついた。だが同時にこの名は、トゥルトゥールが争いごとにも巻き込まれず、オのような近くのコミュニティーを悩ませた山賊の襲撃も受けなかった理由も物語っている。

　絶景を楽しみたいなら、サン・ディーヌ教会からの眺めが1番だ。教会は12世紀のもので大部分が修復され、丘の端にひっそりと建っている。

左ページ：川や噴水から流れる水の澄んだ音が、トゥルトゥールの脇道に染み入るように広がっていく。
上と下：アーチの架かった小路や細い通りが、村の中心部から12世紀の教区教会へ続く。教会から見るまわりの田園風景は有名。
p.120-121：トゥルトゥールの木々や草花を、風情ある道や、水の豊富な噴水が引きたてる。トゥルトゥールは、数多くの個人庭園があることでも知られている。

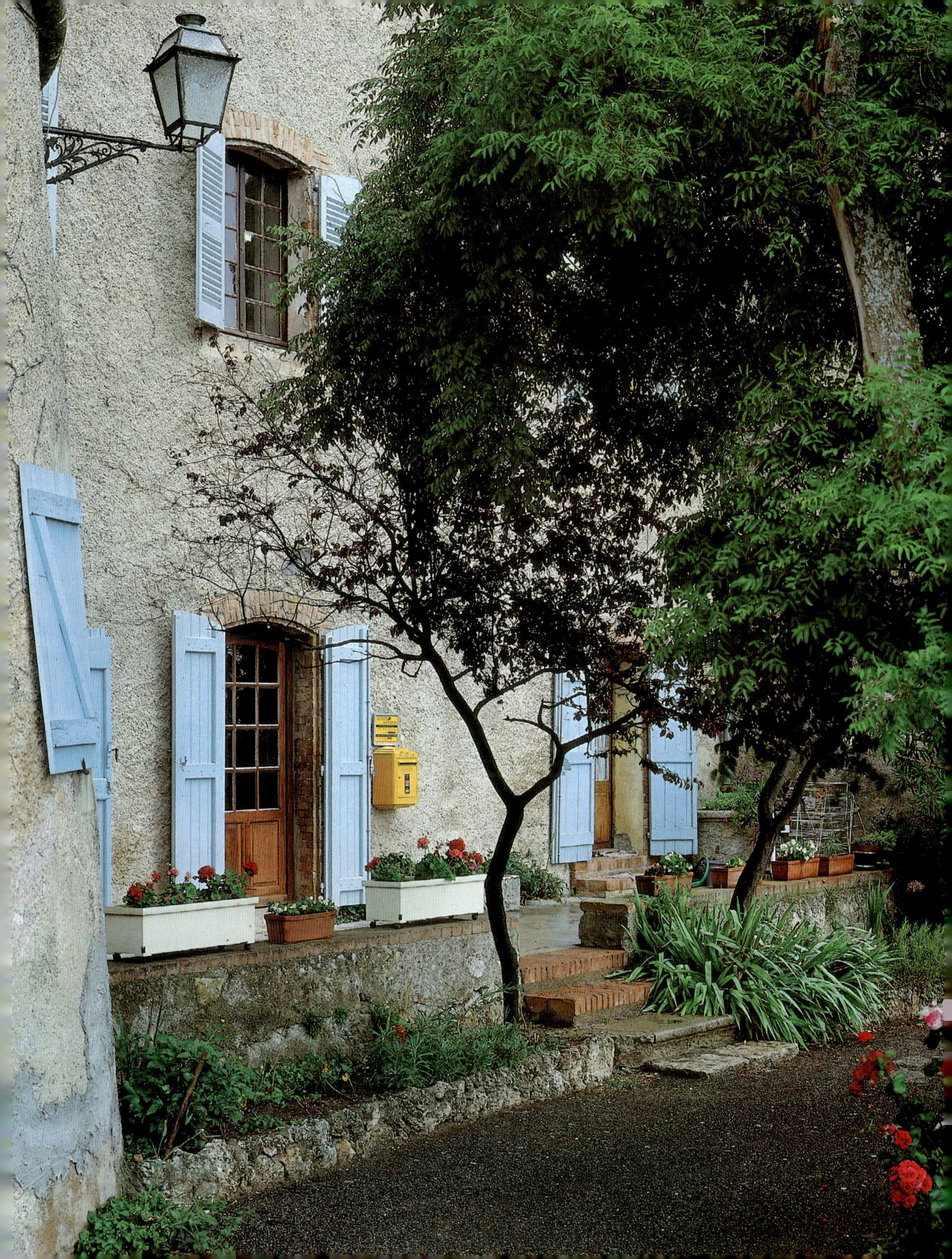

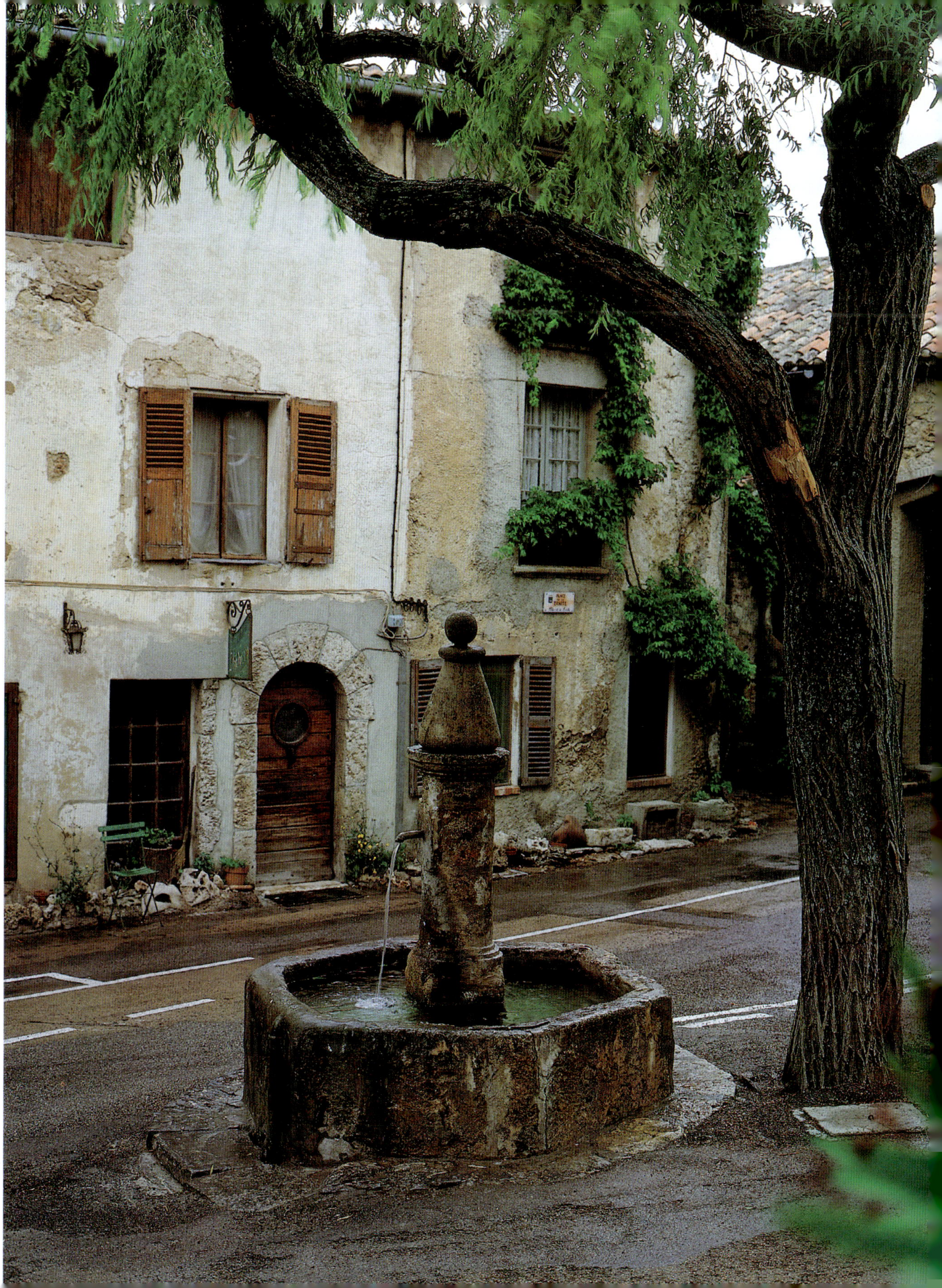

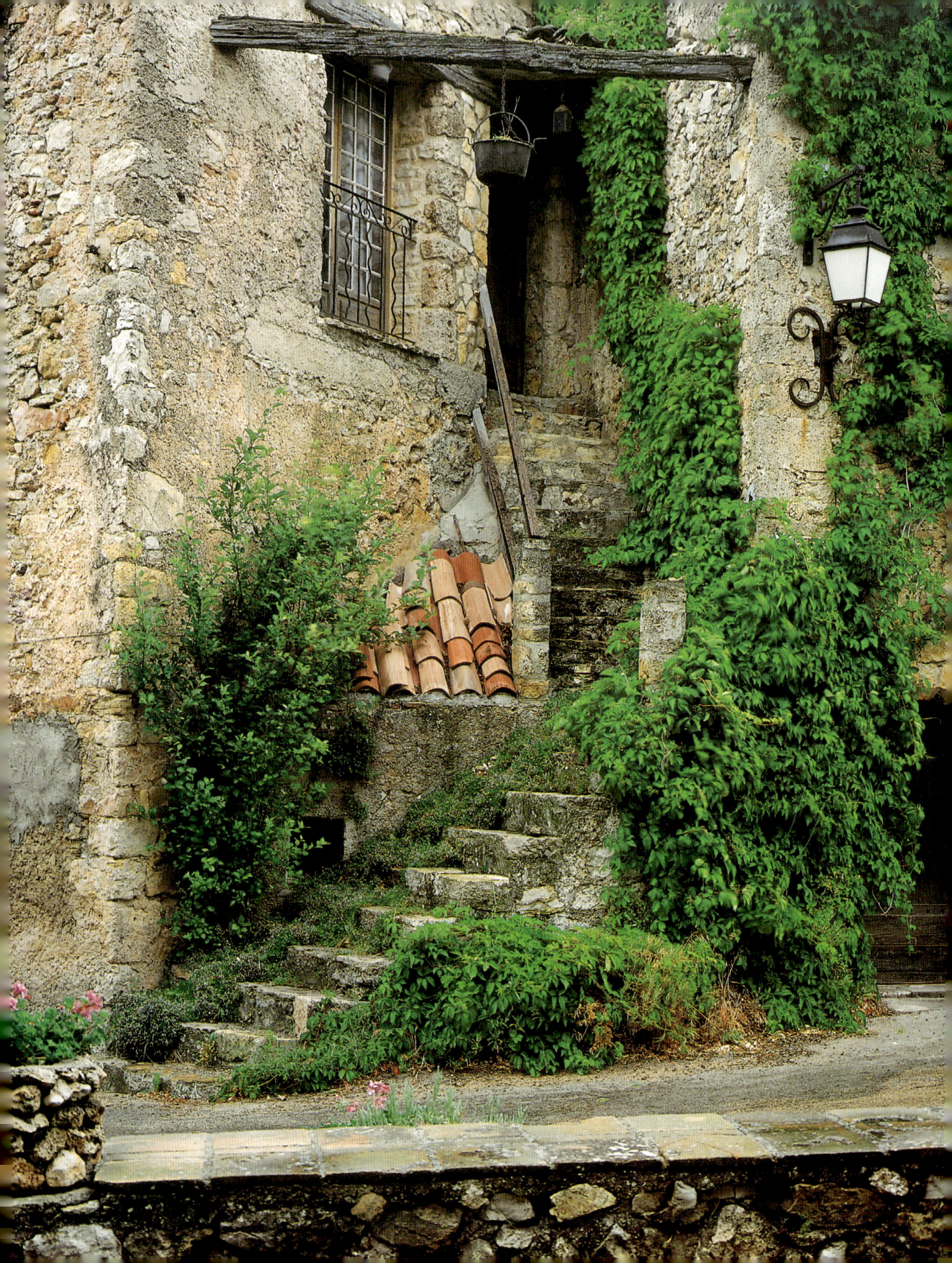

家の入口へ続く急な階段には植木鉢が並び、蔦の懸崖づくりは狭い石段を覆ってしまいそうだ。どちらも、トゥルトゥール独特の風景。

ヴァール／トゥルトゥール 123

Trigance
トリガンス

VAR

左：ムッシュー・ベルナールは、かの有名なラベンダーの蜂蜜、ミエル・ド・プロヴァンスのおかげでいつも忙しい。ここトリガンスで、何世代にも渡り、家族ぐるみで蜂蜜を作っている。

右ページ：中世の家の前には井戸が。舗装されていない道が城へと伸びる。

プロヴァンスの中でも最も寂寞とした地にあるトリガンス。雄大なヴェルドン渓谷入り口の、荒涼たる大地に広がっている。どこか寂しげな山に囲まれたこの小さな村は、11世紀の城の、銃眼のある塔や胸壁に見おろされている。19世紀、城は大々的に修復され、ホテルになった。

トリガンスは元々、ローマ人の小集落で、中世初期に、マルセイユにあるサン・ヴィクトール修道院の属領になる。修道士が城を建てるが、城というよりは要塞化された修道所だった。四方のうち、山に面した方角だけ無防備なままなのを見てもそれは明らかだ。

14世紀、修道士たちが去った後、領主がトリガンスを支配するようになる。1630年、恐ろしい伝染病が猛威を振るい村が壊滅、領主はよその地域から人を移住させ、人口を増やすことを余儀なくされた。フランス革命時に村人たちは城を破壊し、その石を略奪して自分の家を建てた。

第1次世界大戦が勃発するまで、トリガンスには500人が残っていたが、その後村人は次々と去っていった。村の入り口には、伝染病除けの保護聖人、聖ロッシュに捧げた礼拝堂がある。また、ささやかな中心広場には、戦没者記念碑が建つ。路地に並ぶ白みがかった石造りの家は、最近移住してきた人の手で修復されたものだ。路地は石畳の段になっていて、ハーブの香り漂う岩がちの一帯へまぎれていく。

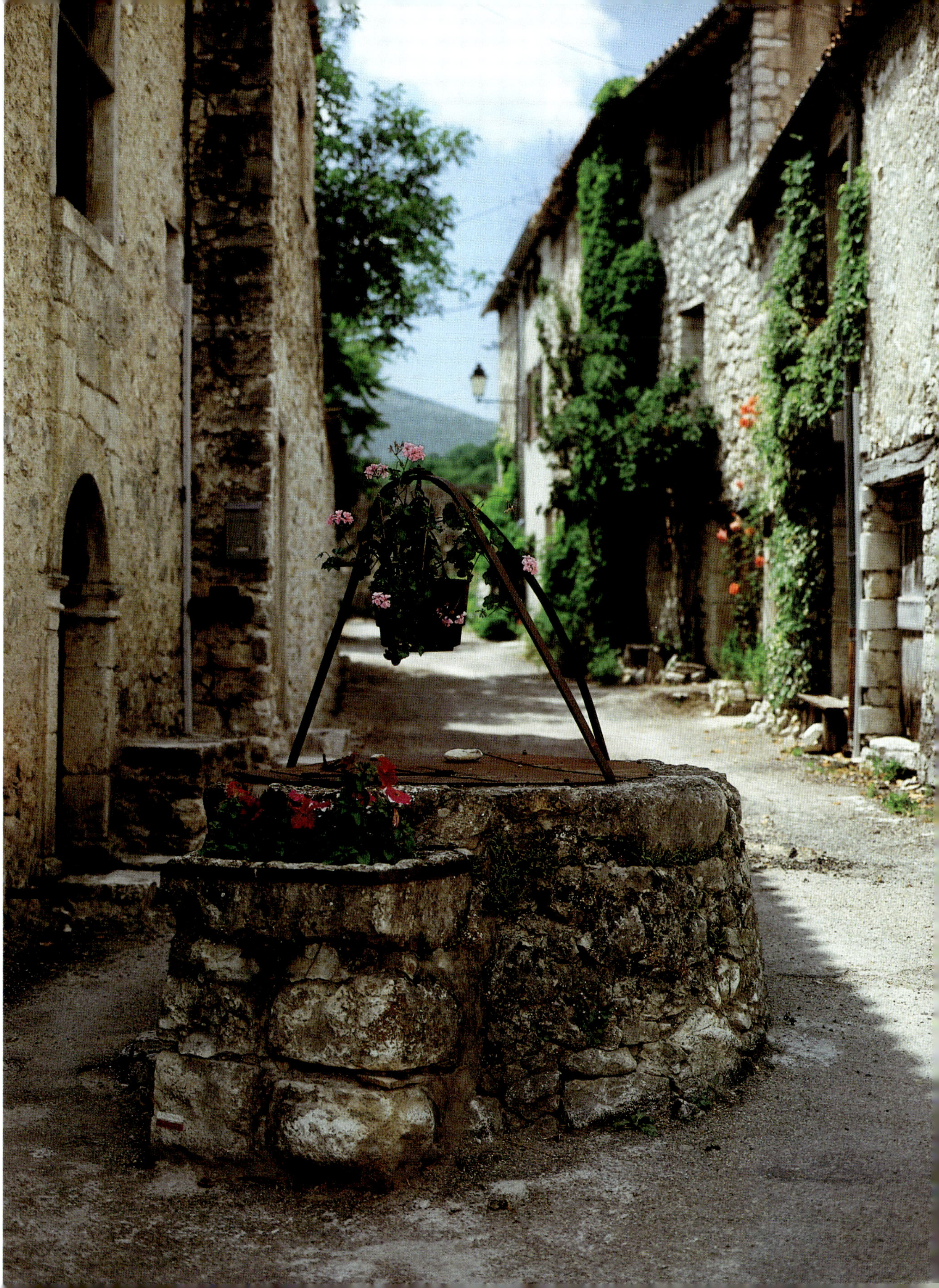

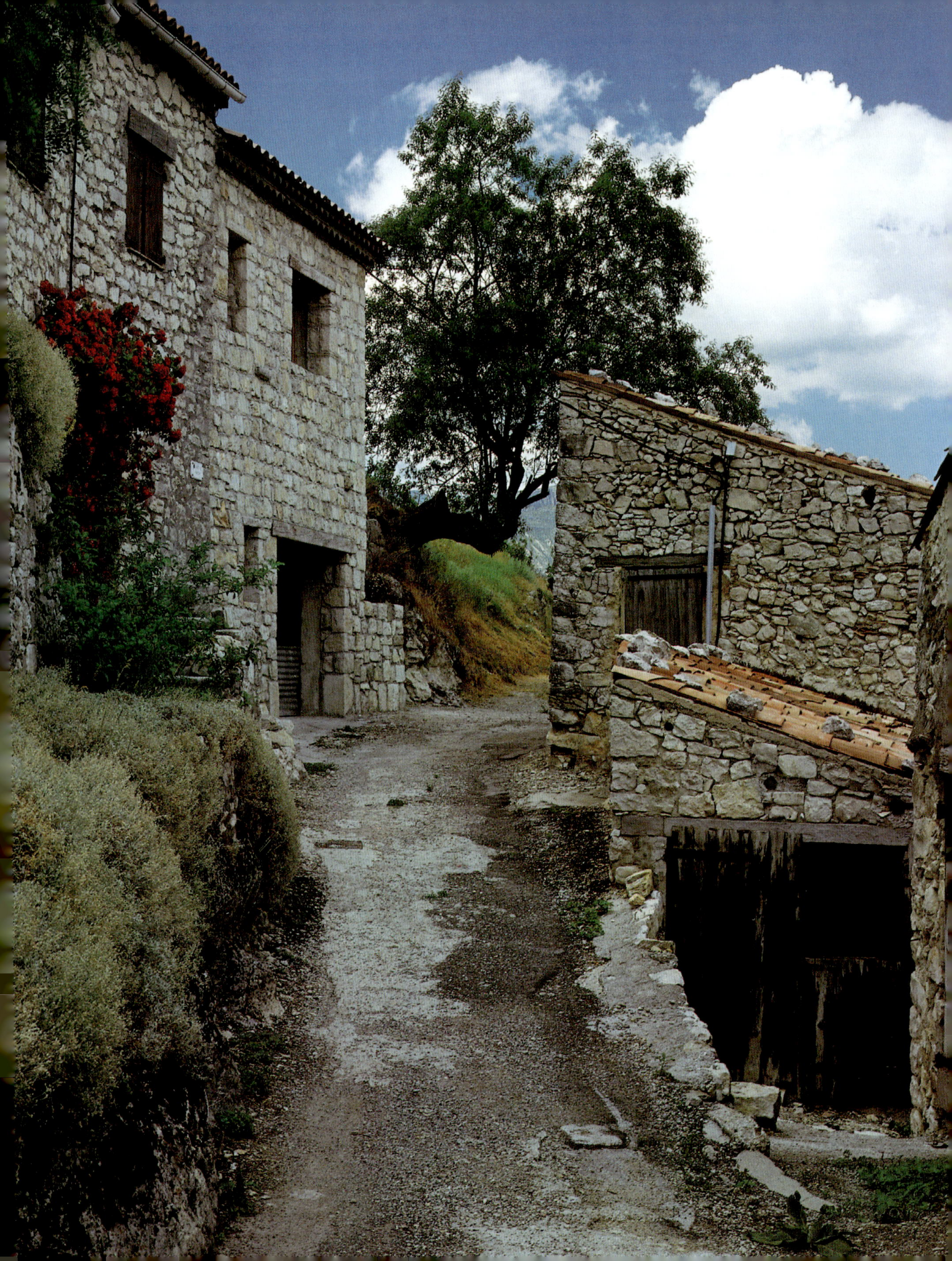

左ページ：村の頂近く。廃墟に混じり今風の家も。
左上と右：中世の簡素なアーチやサン・ミシェル教会の素朴な塔が、村の厳粛な雰囲気を際立たせる。
左下：リンテルの彫刻は、ここが昔鍛冶屋だった証。
p.128-129：村や城の後ろには、かすかに雪化粧したラ・コル・ド・プレの雄大な頂が。城は現在、豪華なホテルだ。

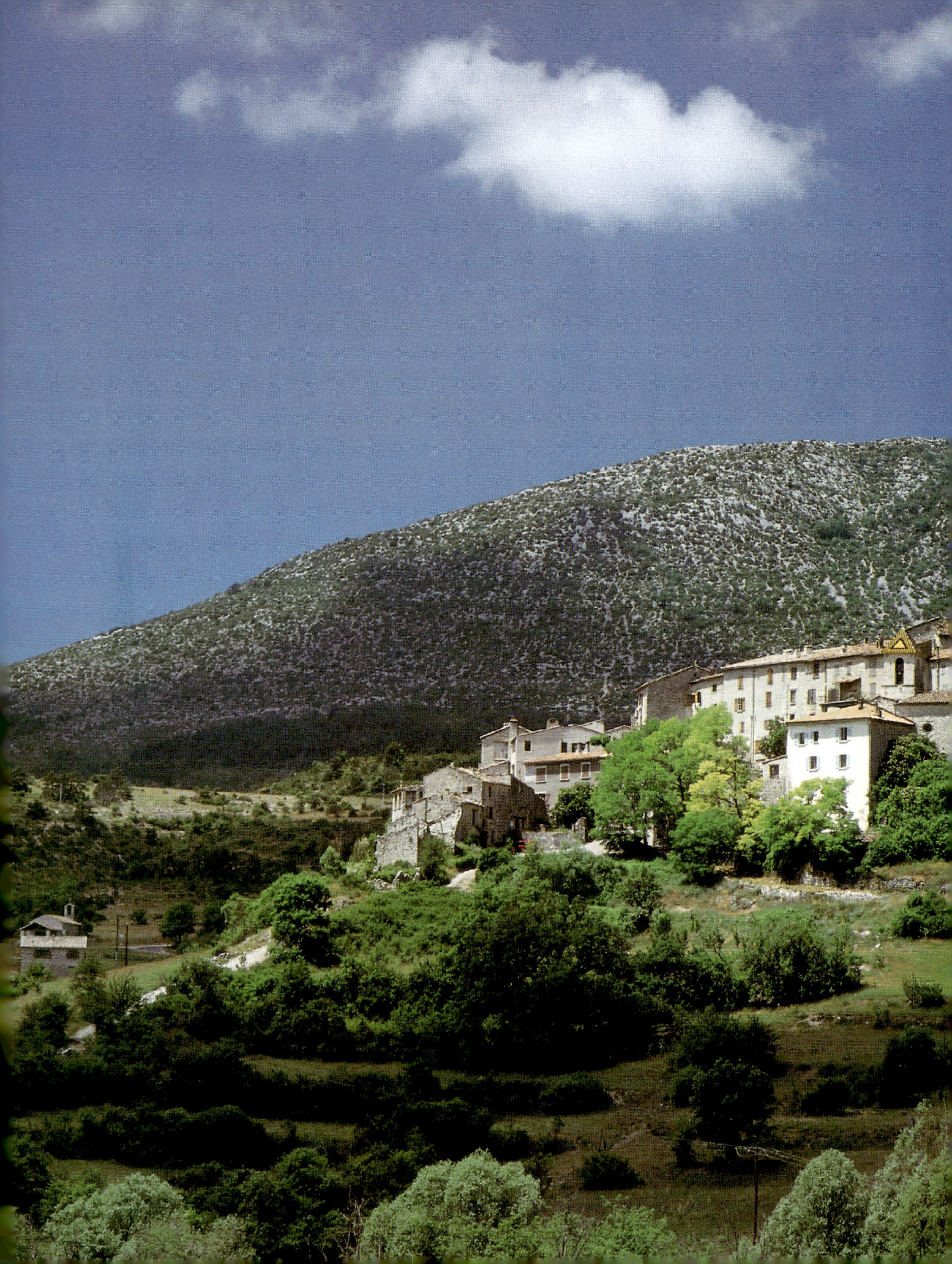

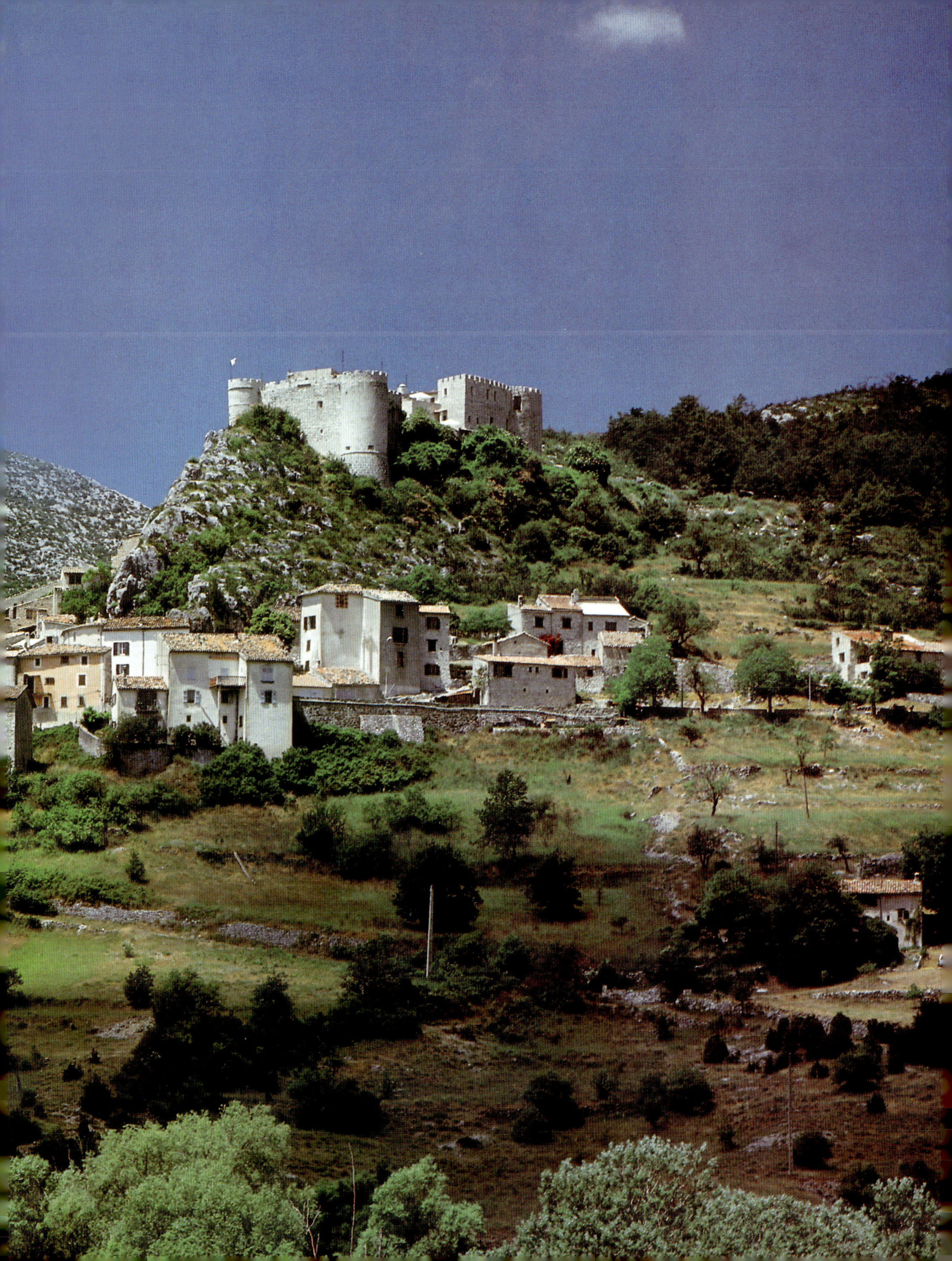

Villecroze
ヴィルクローズ

VAR

　かつて〈空洞の村〉として知られたヴィルクローズ。元は新石器時代の小集落で、洞窟の内側で風雨を免れていた。今では石灰華が積もった崖になっている。岩を削ってつくった階段や16世紀の窓がある広い穴居は、村の美しく大きな公園で見ることができる。公園の高さが30mもある滝からは、生垣や芝生、美術展に使われる品のよい建物など、のどかな景色の中にある川へ水が流れ込む。

　ローマ人が最初に入植、マルセイユのサン・ヴィクトール修道院から修道士がやって来た後、1150年、テンプル騎士団が重要なルウー修道院を築き、ヴィルクローズは絶頂期を迎える。13世紀末、テンプル騎士団が勢力を失うと、聖ヨハネ騎士団の拠点となっ

右：分厚くがっしりとしたアーチと石造りの壁。古く小さな一角を巡るひっそりとした通路を引き立てている。
左：日が降り注ぐ村の隅には、緑の多い公園が。

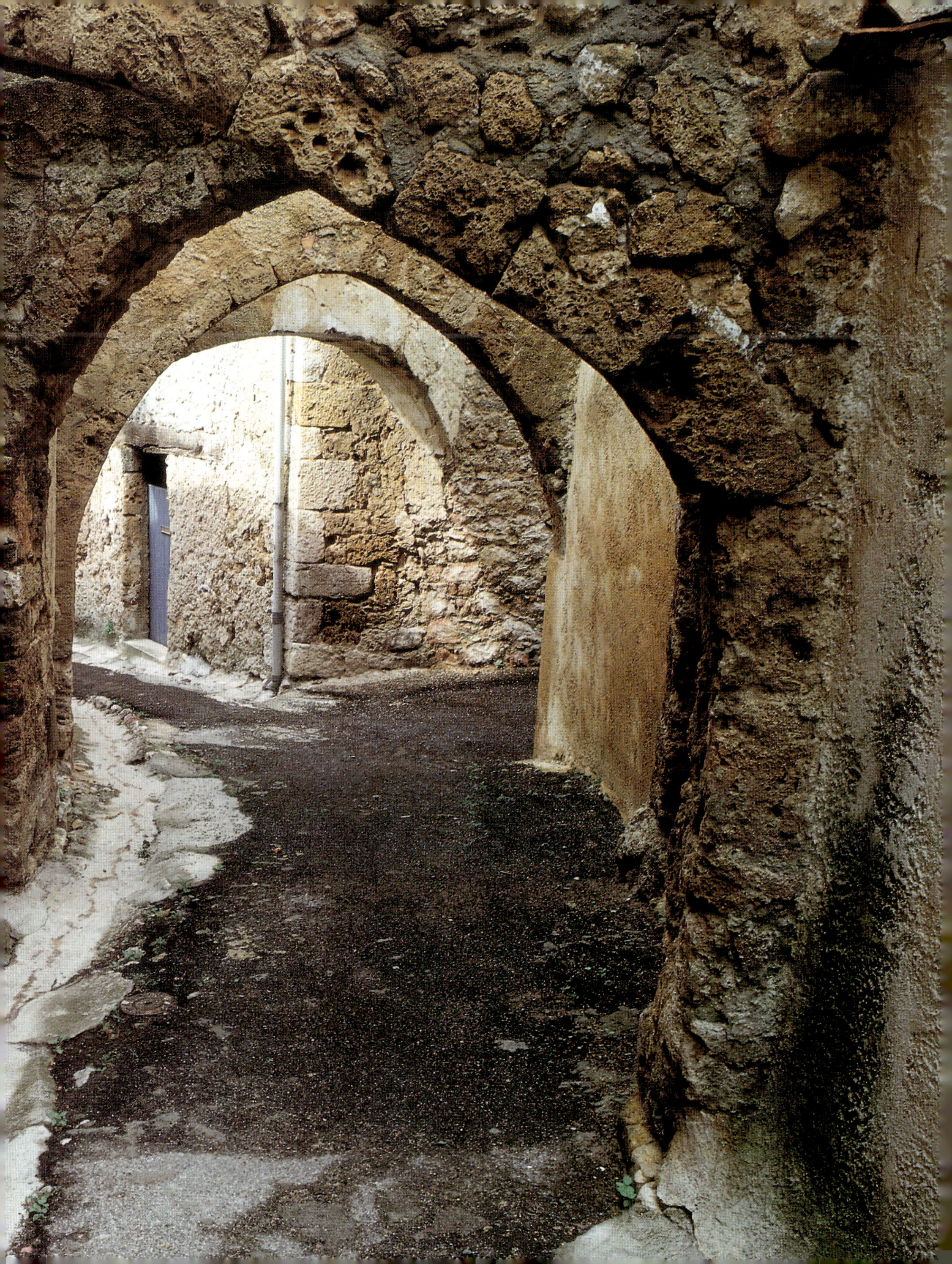

上の2枚と下：村の中心部。家にも、水飲み場のような素朴なものにも、隅々にまで気品が漂っている。
右ページ：草に覆われた岩面を、水が滝となって流れ落ちていく。村の大きな公園で最も見事な景観。

た。だが聖ヨハネ騎士団も衰退、領土をほかへ移さざるを得なくなり、ヴィルクローズは忘れられていく。後年誇れるものといえば、1964年から1981年にジャン・パンが住んでいたということくらいだ。〈堆肥の教祖〉としてそれなりに有名なジャン・パンは、生前は変わり者と思われていたが、木の枝や下ばえが生むエネルギーの可能性にいち早く気づいた科学者である。

今のヴィルクローズに、はるか昔重要な地だった頃の面影はほとんどない。小さく静かな村にあるのは、心休まるカフェと品揃え豊富な雑貨店メゾン・ド・ラ・プレス。うねるように続くオークやマツの向こうには、雄大な景色が広がる。目抜き通りを離れ、素朴な時計台のアーチをくぐれば、そこは古く小さな一角。中世の要塞のような、頑丈な家に囲まれている。眼下に緑を望む狭い遊歩道がアーチへ入ってはぬけていく。静寂を破るのは、家具職人が1人、釘を打つ音だけだ。

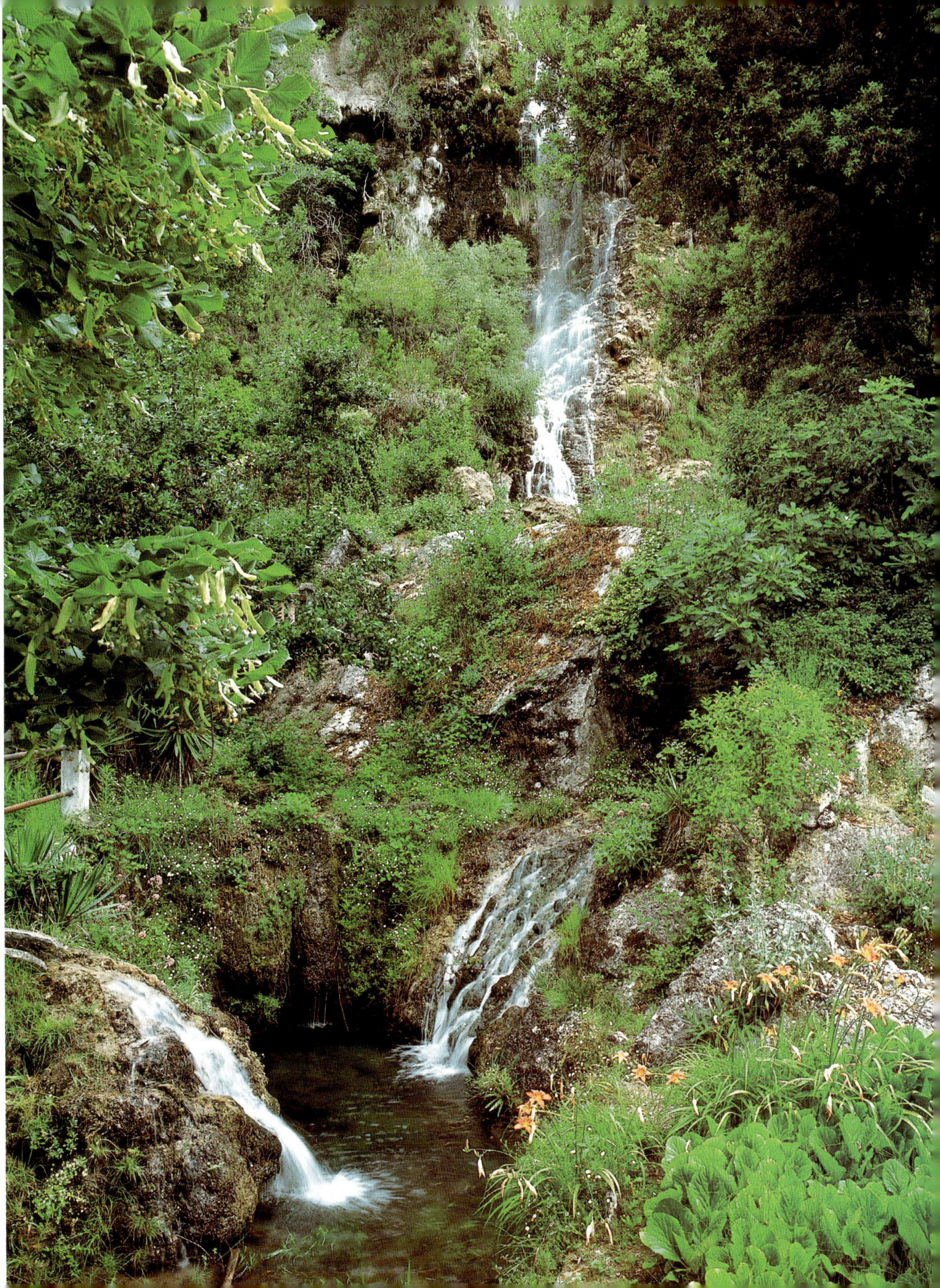

Èze エズ

ALPES-MARITIMES

上：城砦の番人、アロエ。
下：城砦内の大部分を有名な〈エクソティック庭園〉が占め、香水の材料になる様々な珍しい植物が、様々なサボテンと競うように茂っている。
右ページ：植物園の1番高い所には、糸のようなアガベが。遠くに、雄大なカップ・フェラの岬を望む。

ドイツの哲学者ニーチェは、1880年代、エズに滞在し、緑濃い、きらめくような海岸線が草木の生い茂る入り江沿いにモナコやイタリアへ伸びていくという、壮大極まりない景観を見ているうちに、『ツァラトゥストラはかく語れり』第3部の大半を思いついた。
　元々のエズの集落は、現在よりやや西寄りで、紀元前4世紀、ギリシアと強い商業的つながりのあるリグリア人の交易所だった。中世になると、沿岸地域を攻撃されることを恐れ、エズはミドル・コルニッシュの上に移り、現在のような鷲の巣村になった。1592年、伯爵領となった後、城砦の破壊を命じたルイ14世の治世が始まり、エズは長い衰退の時代に入る。19世紀の終わりまで、周囲のコートダジュールが冬のリゾート地として高い人気を誇る一方、エズは、プロヴァンスでどこよりも早く芸術家や作家に見いだされた村のひとつになった。1970年代、村の経済はもっぱら観光収入に頼るようになり、花やマンダリン・

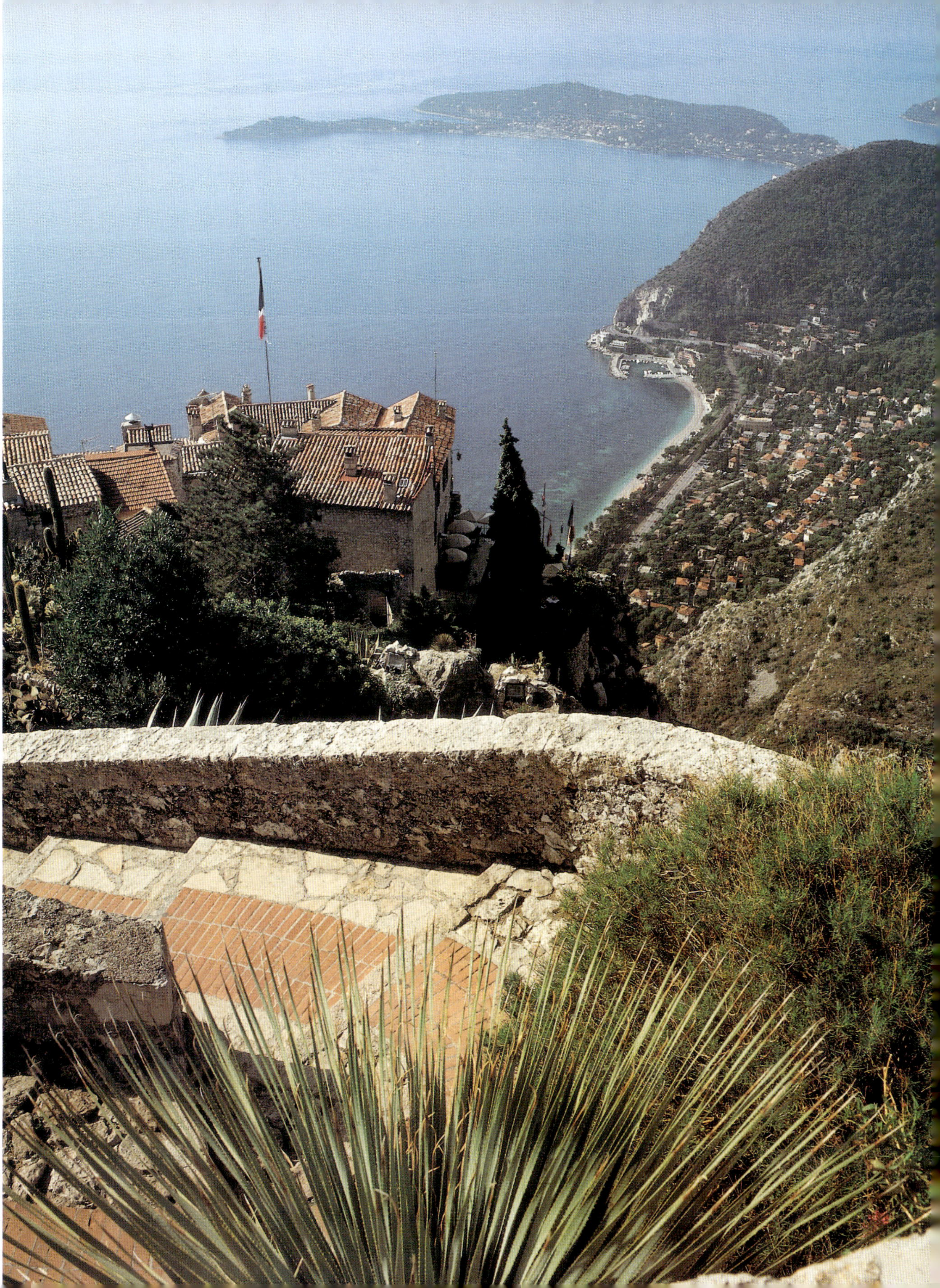

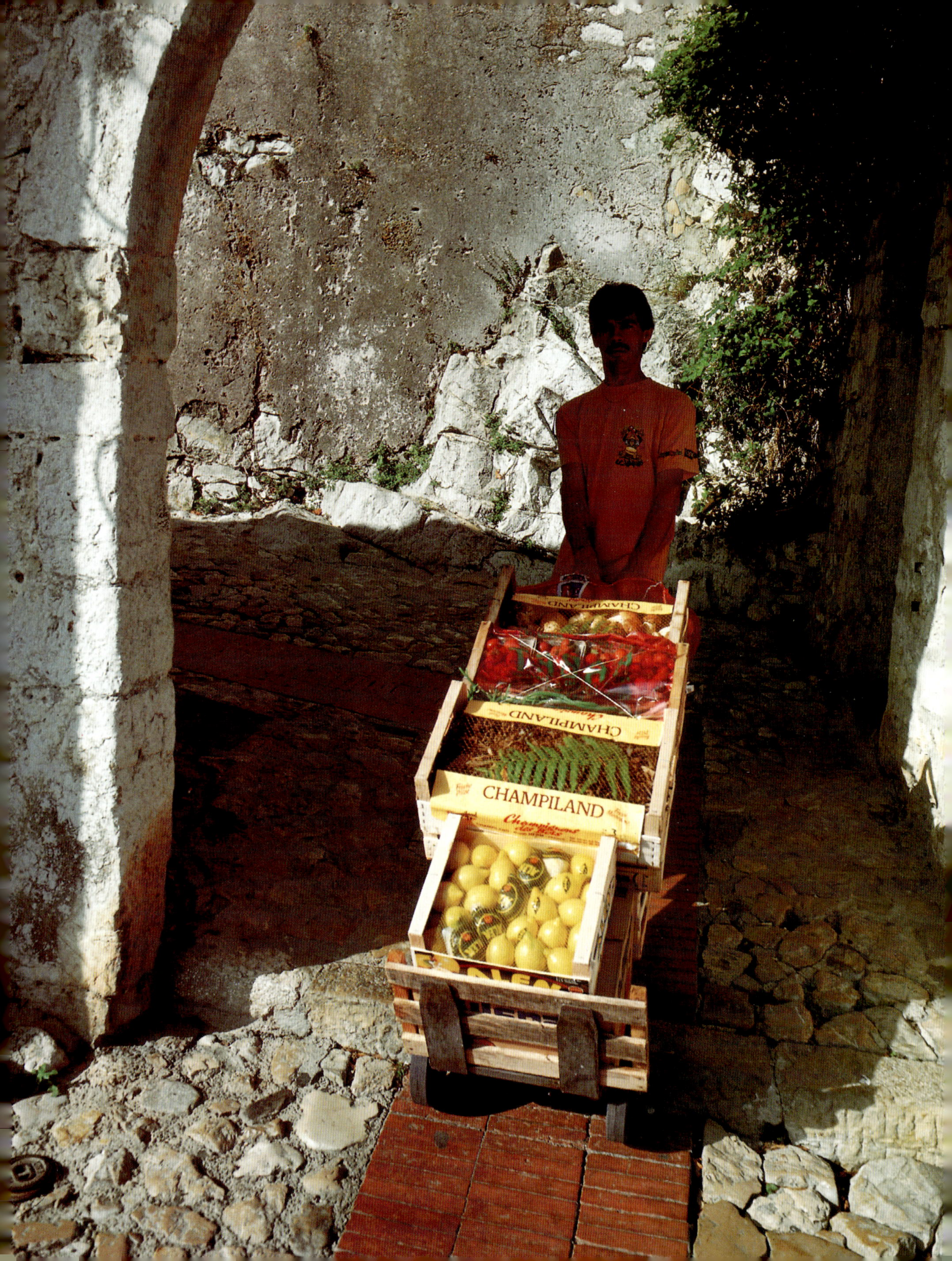
CHAMPILAND
CHAMPILAND
CHAMPILAND

オレンジの栽培のような、古くからある産業はすたれていった。

　14世紀の門から中世の村エズに入ると、狭く、車の通らない急な上り坂の先に、頂の城砦の跡が現われる。その内側には、1950年につくられた異国情緒あふれる見事な植物園があり、サボテンや珍しい植物がたくさん栽培されている。

左ページと上：エズは道が狭く、高台にも家があるため、今でも商品は手押し車で運ばれる。
下：最近では、色とりどりの絵はがきがずらりと並ぶ光景をよく目にする。19世紀末以降、エズが観光地として栄えている証。

アルプ・マリティーム／エズ　137

海岸沿いの賑やかさは、エズの北東、緑の草木と白い石灰石の岩肌とが交互に現われる内陸地域にはない。この風景は、丘の村ピエネ・オートへと続く。

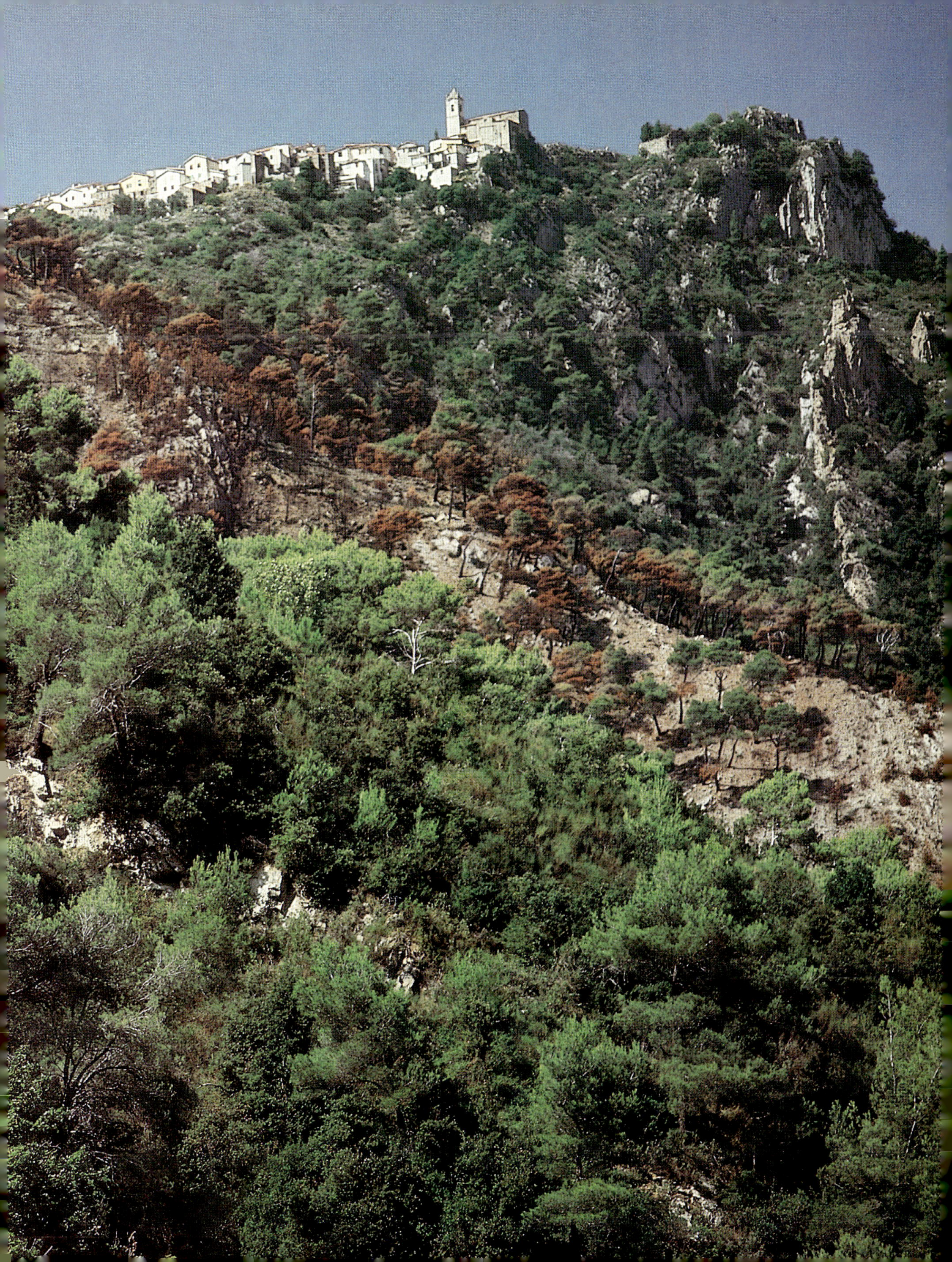

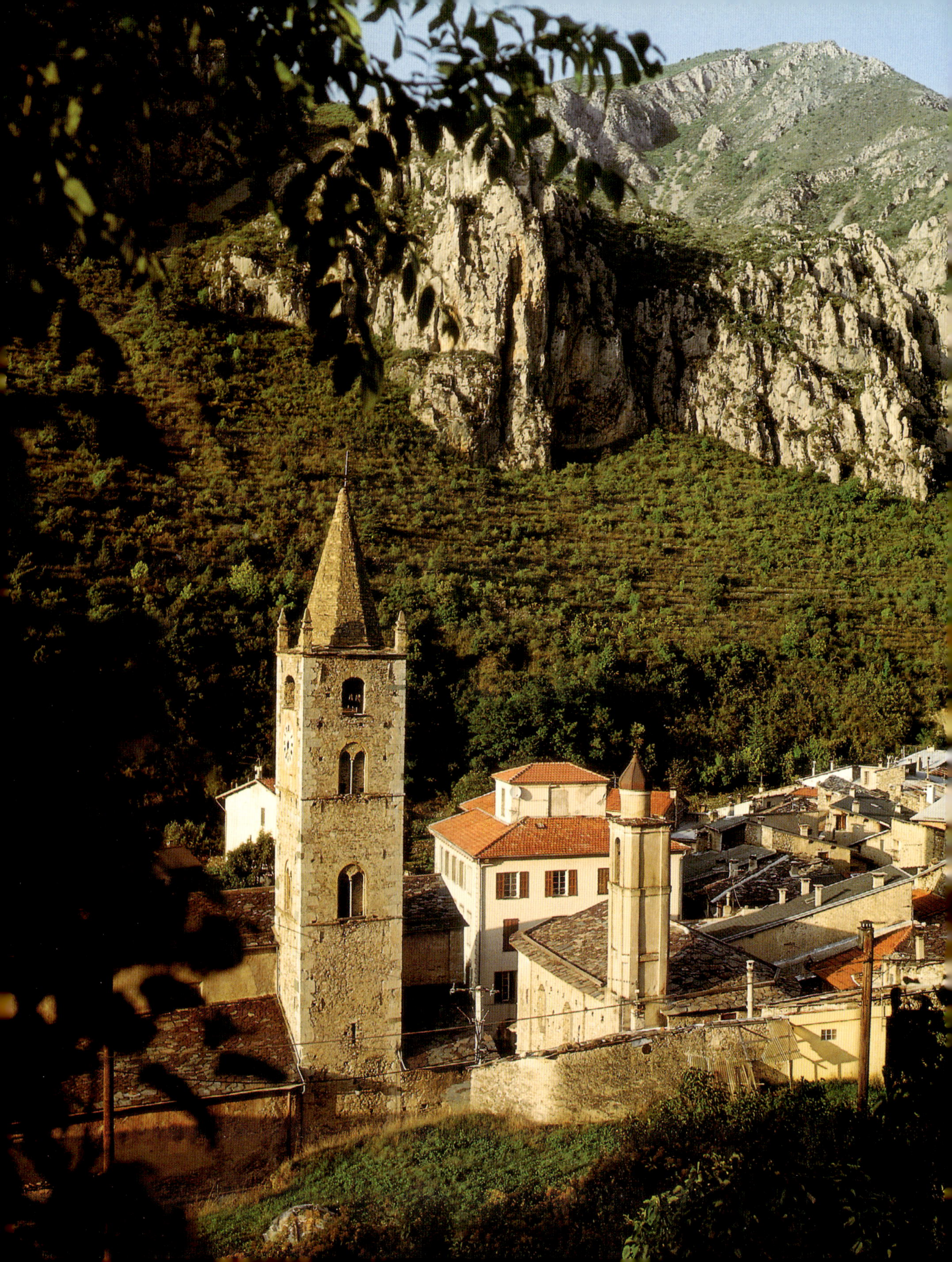

La Brigue
ラ・ブリーグ

ALPES-MARITIMES

　イタリアとの国境で、昔の姿を残す小村ラ・ブリーグは、ロワイヤ川の大渓谷から分かれたアルプス山脈の細い川の土手沿いにある。桃の木とエメラルドグリーンの畑に囲まれ、はるか昔、非常に畏れられた山モン・ベゴの荒涼とした頂を遠くに望む。

　村はその歴史を反映し、孤立した雰囲気を漂わせ、プロヴァンスの隅にひっそりと広がる。ニース伯爵領のほかの地域がフランスに併合された後も、ここは約100年間、1947年までイタリアの一部だった。半ば忘れ去られた村は、サヴォイア家の猟場になっていた。

　廃墟化した城の下の静かな村では、今も年老いた住民の多くがイタリア語を話す。建物は緑色を帯びた土地の石でつくられ、立派な入り口やリンテルがあり、細かい装飾はイタリアそのものだ。ロンバルディア帯（アーチ模様）のあるロマネスク様式の鐘楼は教区教会に隣接している。ささやかな中心広場には礼拝堂が2堂あり、イタリア独特のトロンプ・ルイユ（騙し絵）の装飾が見る者を楽しませる。

左：優雅なロマネスク建築、サンマルタン教会の鐘楼の後ろに、シム・ド・デュラスカの崖が堂々とそびえる。
上：村はずれの監視塔が、昔の混沌とした時代を物語る。

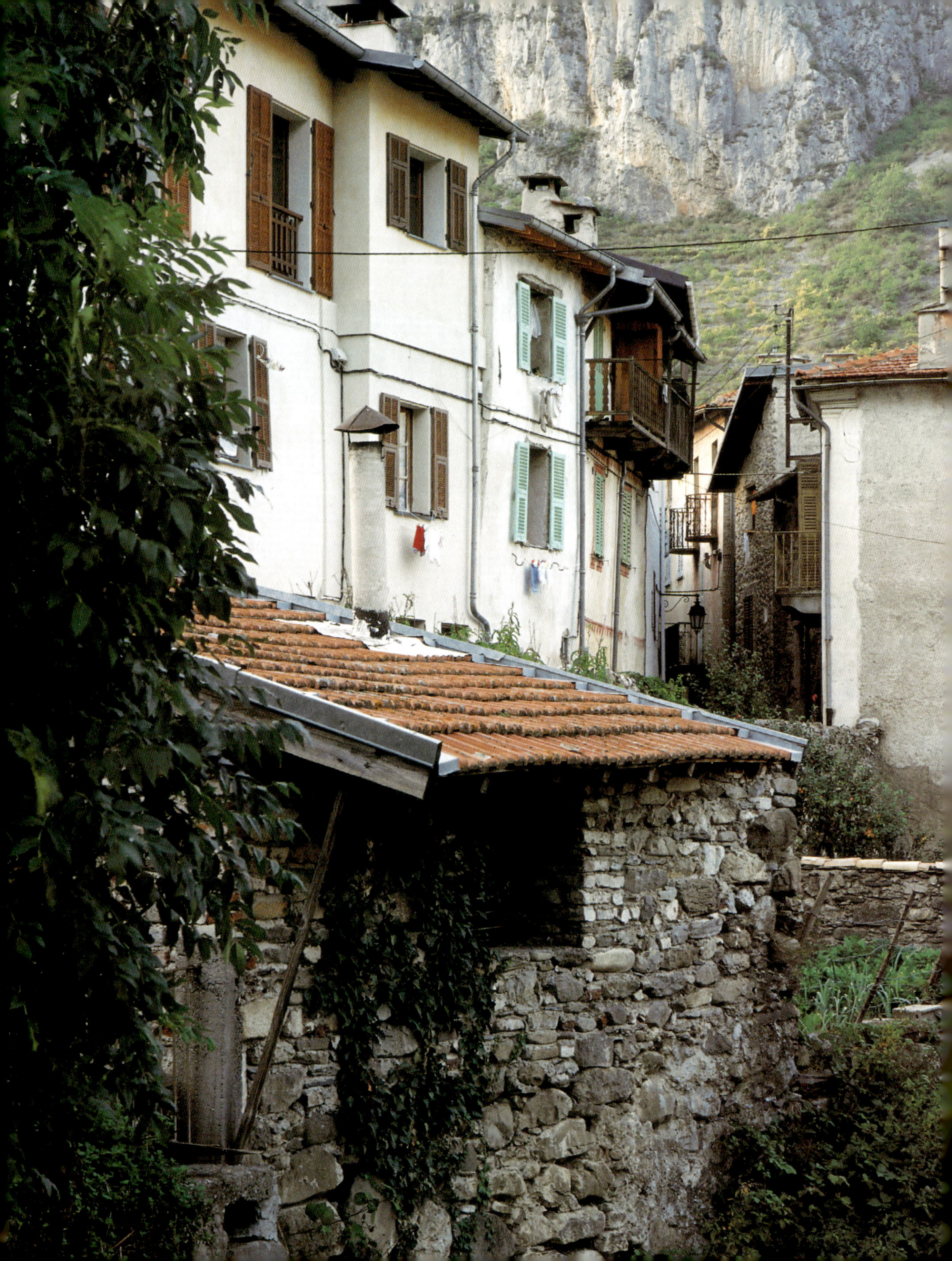

左ページと上：プロヴァンスのアルプス地域の建築に特徴的な、勾配のある長いスレート屋根、広いひさしや木のバルコニー。
右：ラ・ブリーグの東にひっそりと佇むノートルダム・デ・フォンテーヌ・チャペル。15世紀の素朴な外観からは、内部に華美な装飾がほどこされている(p.144-145)ようには見えない。

アルプ・マリティーム／ラ・ブリーグ 143

15世紀のイタリアの画家、ジャン・バレイソンとジャン・カナヴェジオのフレスコ画が、ノートルダム・デ・フォンテーヌ・チャペルの壁を埋めつくしている。中でも、カナヴェジオ作の〈最後の審判〉と〈イエス・キリストの受難〉には目を奪われる。
〈キリストの磔刑〉の下部の詳しい描写（右）、〈ピラトの前のキリスト〉（左上）、〈ペテロの否認〉（右上）、〈ユダの自殺〉、悪魔がユダの魂を抜き取っている（右下）。カナヴェジオはドイツ色が濃い作風を好み、リュセラムやペイヨンでも描いている。

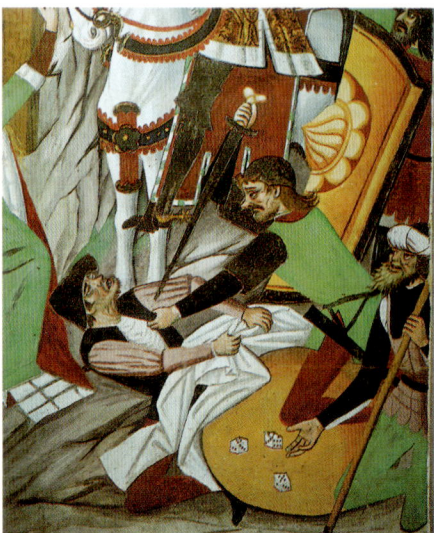

144 ラ・ブリーグ

上:〈茨の冠〉。
下:西の壁にある〈最後の審判〉の細部。

右ページ：リュセラムの家の崩れかかった漆喰を背景に、サン・ジャン教会の明るく鮮やかなパステルカラーが映える。
下：サント・マルゲリータ教会には、15世紀の貴重な絵画が。ジャン・カナヴェジオの祭壇画〈パドヴァのアントニオ〉など見事な壁画が残る。
p.148-149：リュセラムの雄大な景観。村と後ろの斜面との間には、実は峡谷がある。山の斜面には、1986年の大規模な火事の爪痕が。

Lucéram
リュセラム

ALPES-MARITIMES

　岩がちの険しい斜面に根を張るように広がるリュセラム。かつて地中海のマツや灌木に覆われていた山々やその向こうの壮大な全景を望む。1986年の夏に起きた大規模な山火事で、周囲の景観はすっかり損なわれてしまった。だが幸いなことに村は焼けず、ニースの内陸地域の中で最も美しい地として、手つかずのままの見事な姿を見せている。

　リュセラムの起源は恐らくローマ時代で、その名前はまぎれもなくラテン語の lucus eram（わたしは神聖な森だった、という意）だ。イタリアのピエモンテ州につながる〈塩の道〉を含む、3本の古代の道が交わる地として重要な位置にある。中世には、リュセラムの村人は特権が与えられ、領主への従属を免除されるとともに、通りがかる商人から通行税を取ることを許されていた。これらは、オリーブ栽培と木材伐採に頼り切っていた地域の経済の大きな助けとなった。

　中世の村リュセラムの中心地は、今も目抜き通りの上にある。それを見おろすのが銃眼のついた監視塔。かつて村を囲っていた要塞の中で今も残る主なものだ。石段になった狭い坂道が、重なり合って建つ高い家の間を縫うように続く。家の扉はゴシック式のものが多い。最も壮大な景観を望む頂近くでは、サント・マルゲリータ教会を手すりのついた高台がささえている。教会は、村と同様、全体的にイタリア色が濃く、質朴なゴシック建築だったものが18世紀に改築された。内部装飾はパステルカラーのロココ調で、プロヴァンスにある教会の多くが素朴で憂いを帯びているのとは対照的だ。また、15世紀の一連の祭壇画など、教会内に多く残る絵画も素晴らしい。さらにこの教会には、パレルモの聖ロザリアの遺骸も収められている。聖ロザリアの名は、ペストに対する救いの手として引き合いに出されることもしばしばだ。ペスト流行時には、多くの巡礼者が聖ロザリアの遺骸の元へやって来た。今日、村の主要な宗教行事はクリスマスで、捧げものの子羊と果物を運ぶ羊飼いが行列する。

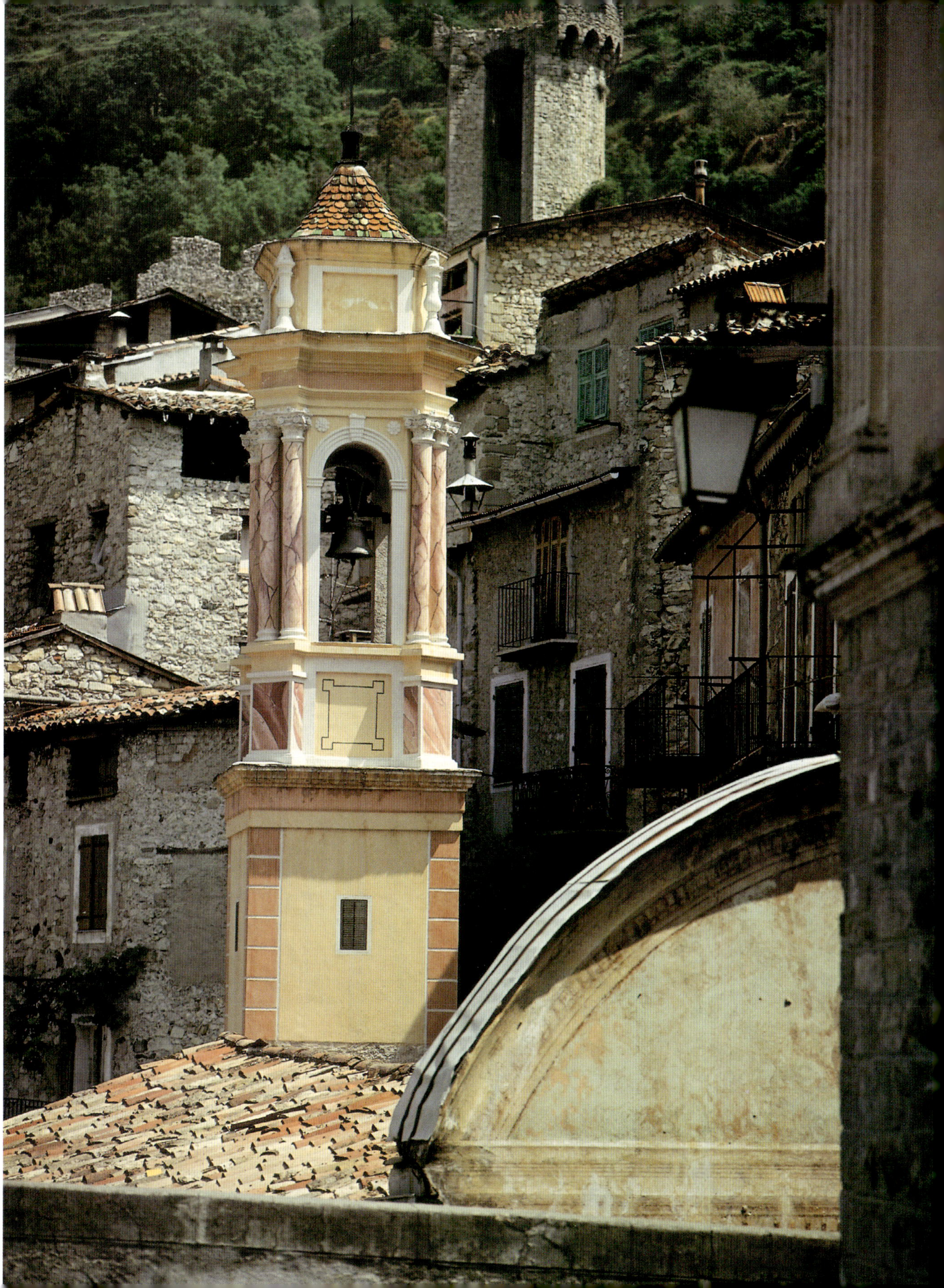

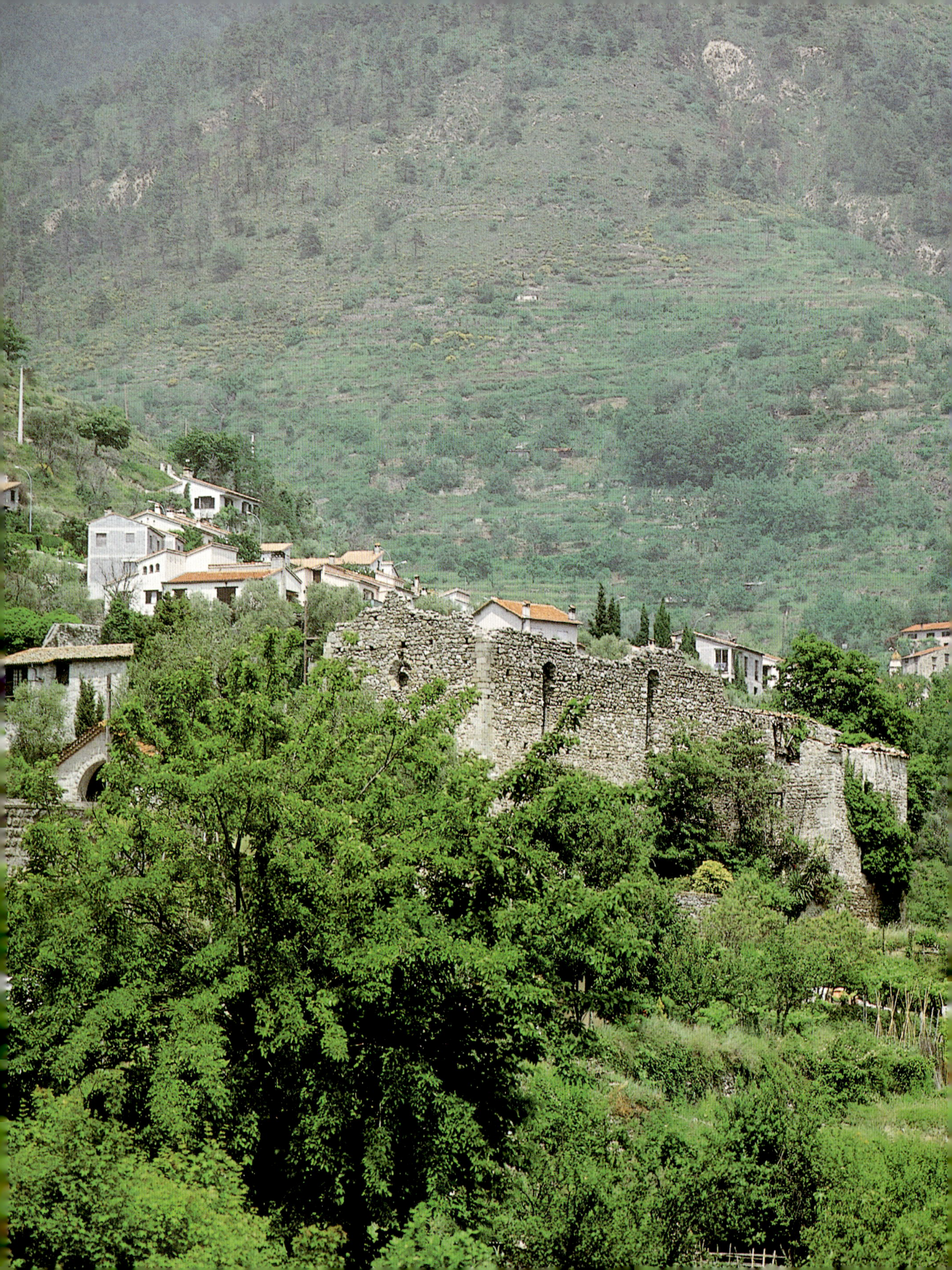

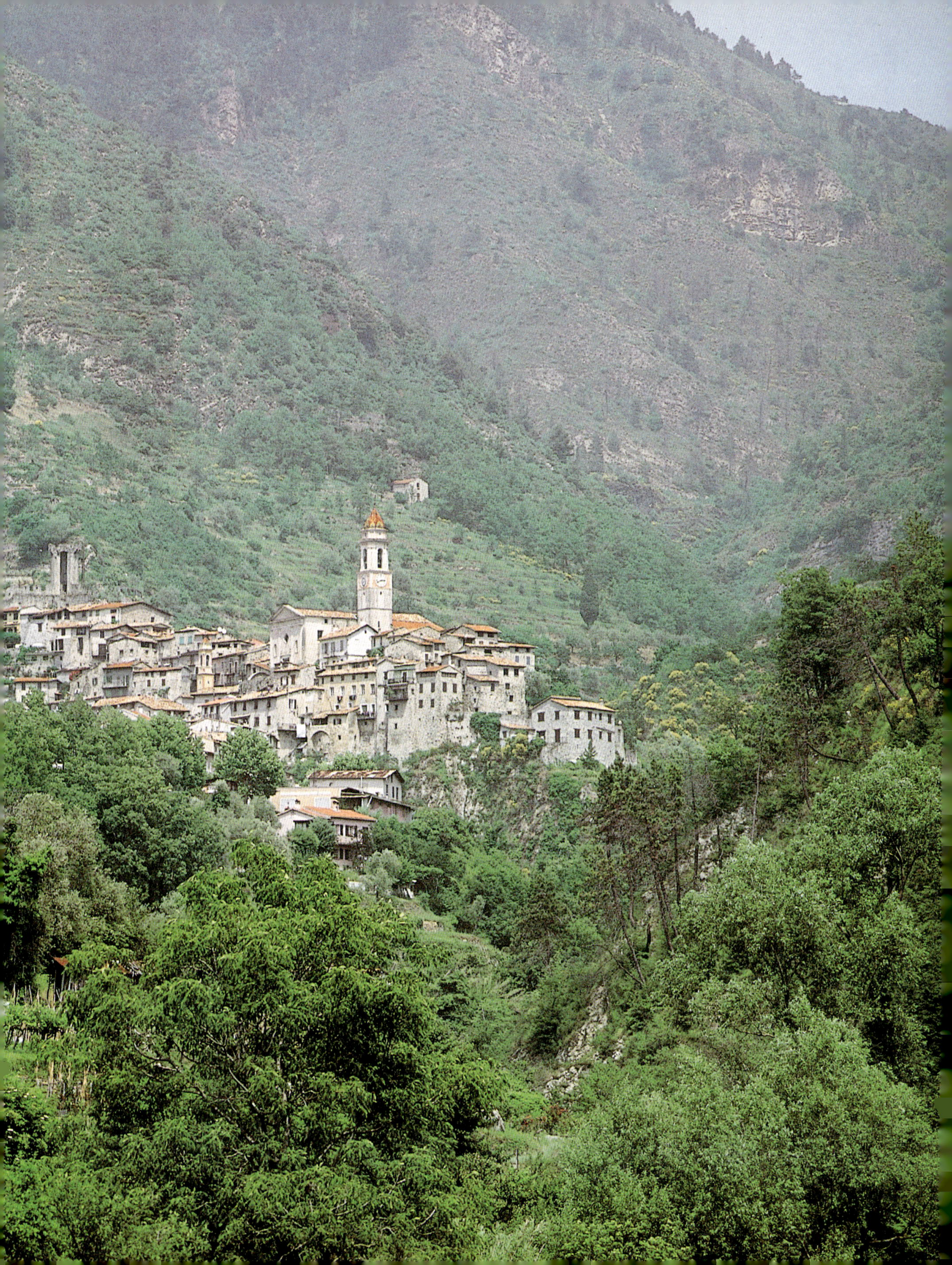

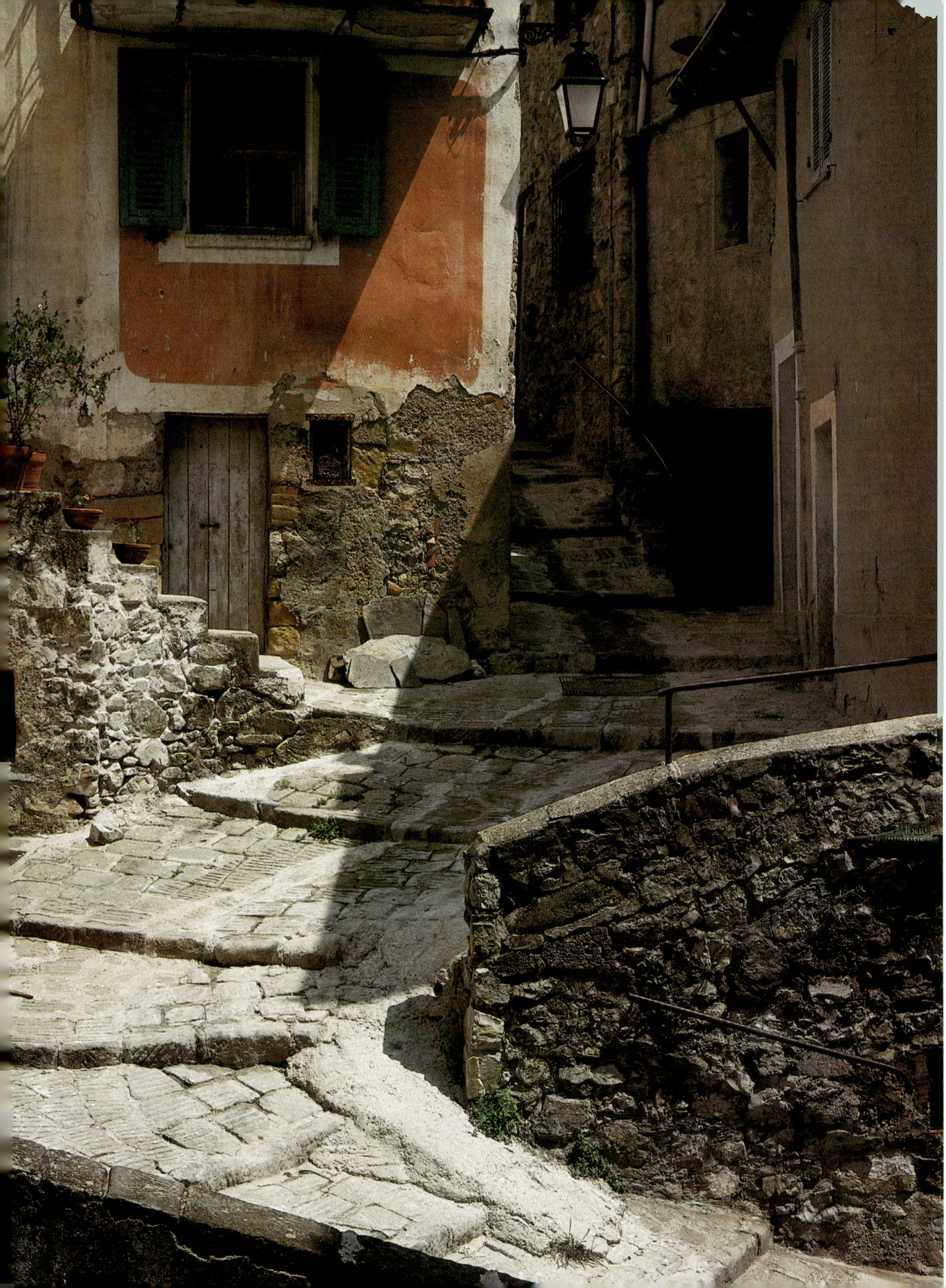

リュセラムの古い中心地。迷路のように曲がりくねった石段の小路が、村をこの上なくひっそりとした佇まいにしている。これもリュセラムに欠かせない魅力だ。中世後期の狭い家々が、日陰の暗がりとプロヴァンスのやわらかな光とのコントラストを際立たせている。

152　アルプ・マリティーム／リュセラム

左と右下：サント・マルゲリータ教会の表。日の光が降り注ぐ広場でひと休み。教会から、村の家の屋根やテラスが見える。
右上：バロック建築のサン・ジャン教会のファサード（正面）。弓形のペディメント（屋根の下部）に〈栄光の聖母マリア〉の絵が描かれている。錬鉄の風見鶏もプロヴァンスの魅力あふれる特徴のひとつ。

アルプ・マリティーム／リュセラム 153

Peillon ペイヨン
ALPES-MARITIMES

　プロヴァンスの鷲の巣村の中でも、ペイヨンほど大胆な位置にある村はどこにもなく、フランス中を探しても数えるほどしかない。狭く曲がりくねった道をペイヨンまで上るとまず、この地の一体どこに村を築けたのかと思うかもしれない。さらに、カーブを曲がった途端現われるのは、地中海沿岸の豊かな緑の上にそびえ立つ、純然たる石灰石の尖峰だ。頂に寄り合って建つ家のオークルの色彩は、岩肌と見分けがつかない。こんな所に車が入れるのかと思わず聞いてみたくなる。

　コートダジュールの広い海岸地域はここからは見えないが、ほんの数キロしか離れていない。それなのに、まったく別の遠い世界にいるような気がする。恐ろしい山賊のねぐらがある地にでも入りこんだのかと心配になるが、そんな思いは村に足を踏み入れた瞬間に消え去ってしまう。村の入り口には、こぢんまりとした隠れ家のようなレストランやホテルがいくつかあり、夏の週末にはニースから多くの人が訪れる。

　車を走らせ村へ上る途中で、めまいや広場恐怖症に悩まされたとしても、寄り合うように建つ家々を目にし、アーチの架かった暗い小路に入れば、今度は閉所恐怖症にかかるかもしれない。この小路は頂にある雄大なトランスフィギュラシオン教会へと続き、息をのむほど美しい。まわりの絶景を望む狭い高台に建つトランスフィギュラシオン教会は、薄暗い村から上って来ると、イタリア的明るさと色合いを帯び、陽気に見える。内部は素朴で魅力あるバロック様式で、生き生きとした雰囲気だ。とはいえ、芸術的には、村のふもとにある白色苦行会礼拝堂にはかなわない。この礼拝堂では、15世紀の画家ジャン・カナヴェジオが描いた、この上なく美しい一連のフレスコ画を見ることができる。

曲がりくねった狭い坂を上り切る直前に、ペイヨンを望む。頂にはトランスフィギュラシオン教会が。

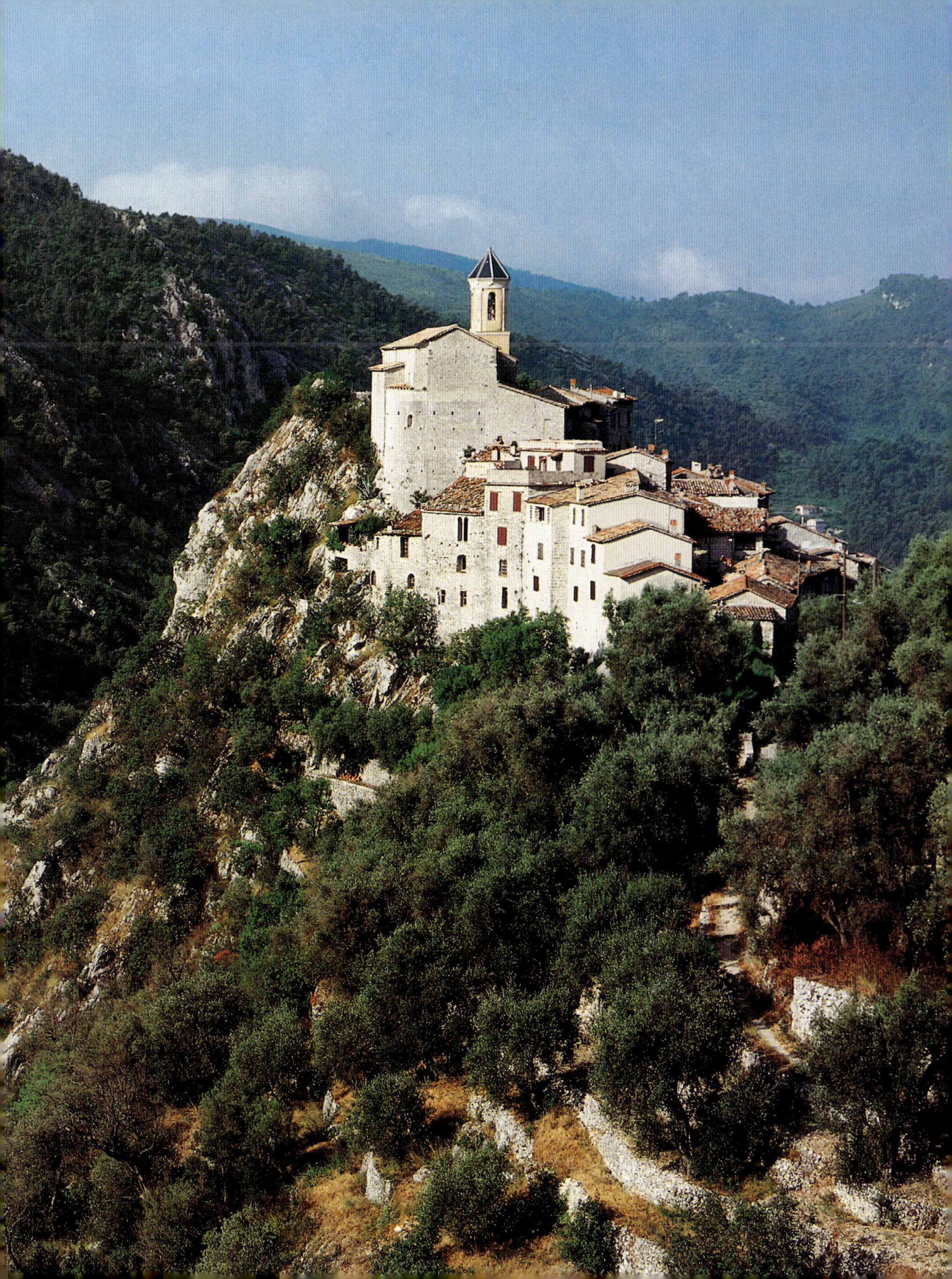

左：優雅な噴水が、壁に囲まれた村の入り口で訪れた者を迎えてくれる。
右の2枚と右ページ：壁の内側は、石段になった暗い小路。中世の家並みをぬけると、屋根越しに雄大な景色が覗く。

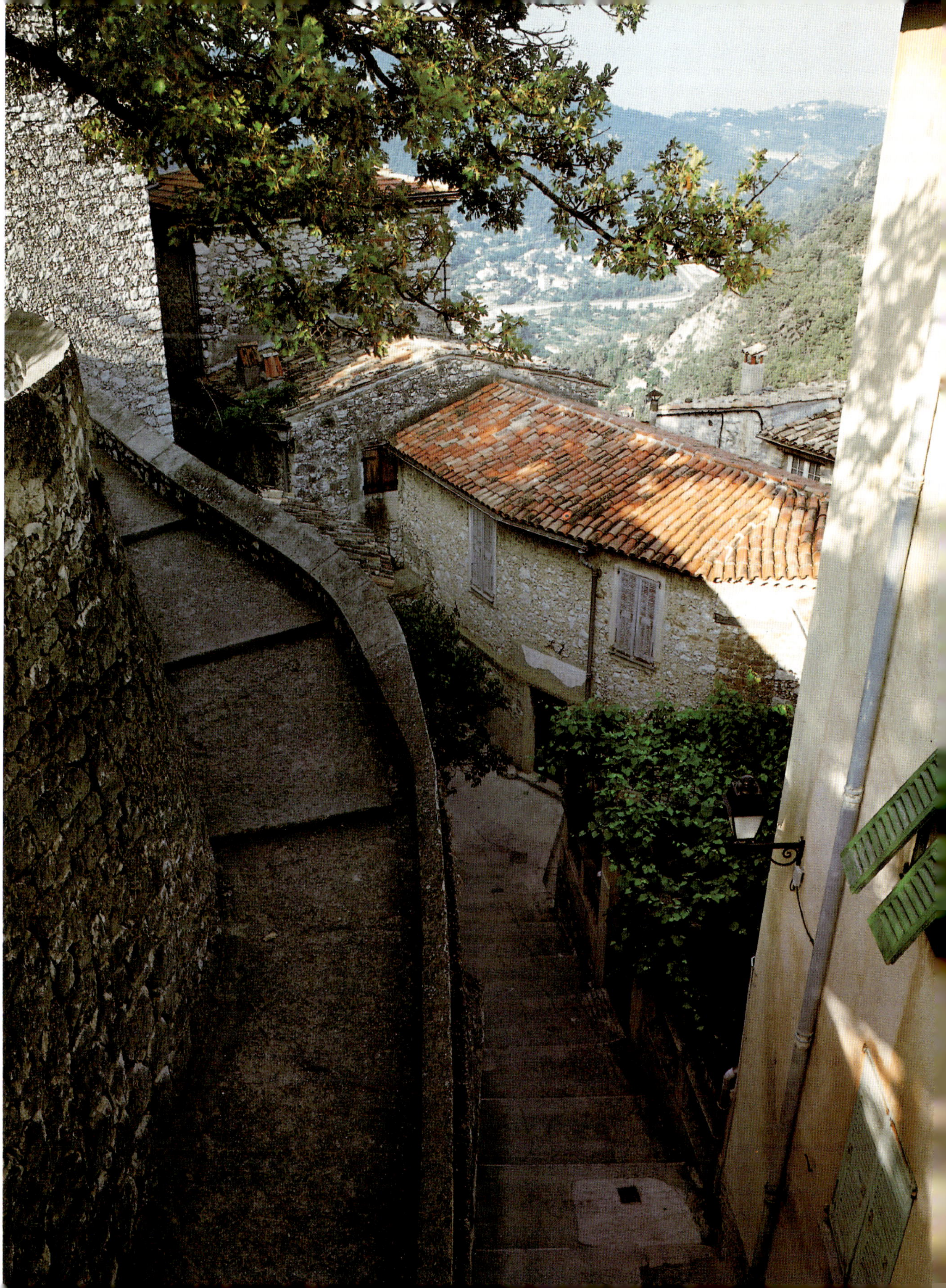

Saint-Paul-de-Vence

サン・ポール・ド・ヴァンス

ALPES-MARITIMES

左：17世紀の要塞を前景に、村の頂には参事会教会の18世紀の時計台がそびえる。
右ページ：邸宅が点在する南国風の村を、夏の霞が包みこむ。

　サン・ポール・ド・ヴァンスは、プロヴァンスでも典型的な美しい丘の村だ。イトスギや柑橘類の木が青々とうねるように生い茂り、大きな家が点在する斜面の上にこぢんまりと広がっている。頂に、村の中心を成す教会の立派な塔がそびえ、16世紀の要塞に四方を囲まれ、かつての姿を残している。この要塞は1536年、カール5世の軍隊に抵抗し続けた民衆の労に報い、フランソワ1世の命により築かれた。
　18世紀まで非常に栄えたが、サン・ポールは近隣のカーニュやヴァンスが繁栄し始めると、衰退の一途をたどる。忘れ去られ、眠った村のようになっていたが、1918年になっていきなり、プロヴァンスのほかの地よりもここに魅せられた芸術家が押し寄せ、息を吹き返す。シニャック、スーチン、モディリアーニ、ボナール、ピカソ、レジェ、ブラック、ルオー、そして、シャガール。彼らを始め、1920年代には数えきれないほど多くの画家が村に名声をもたらした。1960年代、画廊のオーナーでもあり画集の出版も手掛けるエメ・マーグとマルグリット・マーグが、村はずれの公園に財団美術館を建てると、これが後にヨーロッパで最も知的な美術館のひとつとなり、サン・ポールの名声はいよいよ確実なものとなる。ほかの数多の芸術家村のようにサン・ポールの人気がここまで高まったのは、芸術に明るいホテル経営者〈偉大なるルー〉こと、ポール・ルーのおかげである。画家たちを自身のホテルとレストラン、ラ・コロンブドールに付け払いで滞在させ、支払いの代わりに作品を受け取った。
　中世の村サン・ポールは、石落としのついた、印象的な2重の門の向こう側で、今では洗練された素朴さを湛えている。通りは今風のモザイクで舗装された。幸い、美しい石造りの邸宅が多く残り、画家や観光客が訪れるはるか前の、サン・ポールが栄えていた時代を彷彿とさせる。だが、村の本質を最も表しているのは、堂々たる巨大な教会だ。ロマネスク様式とゴシック様式が交じり合い、威厳が感じられる。

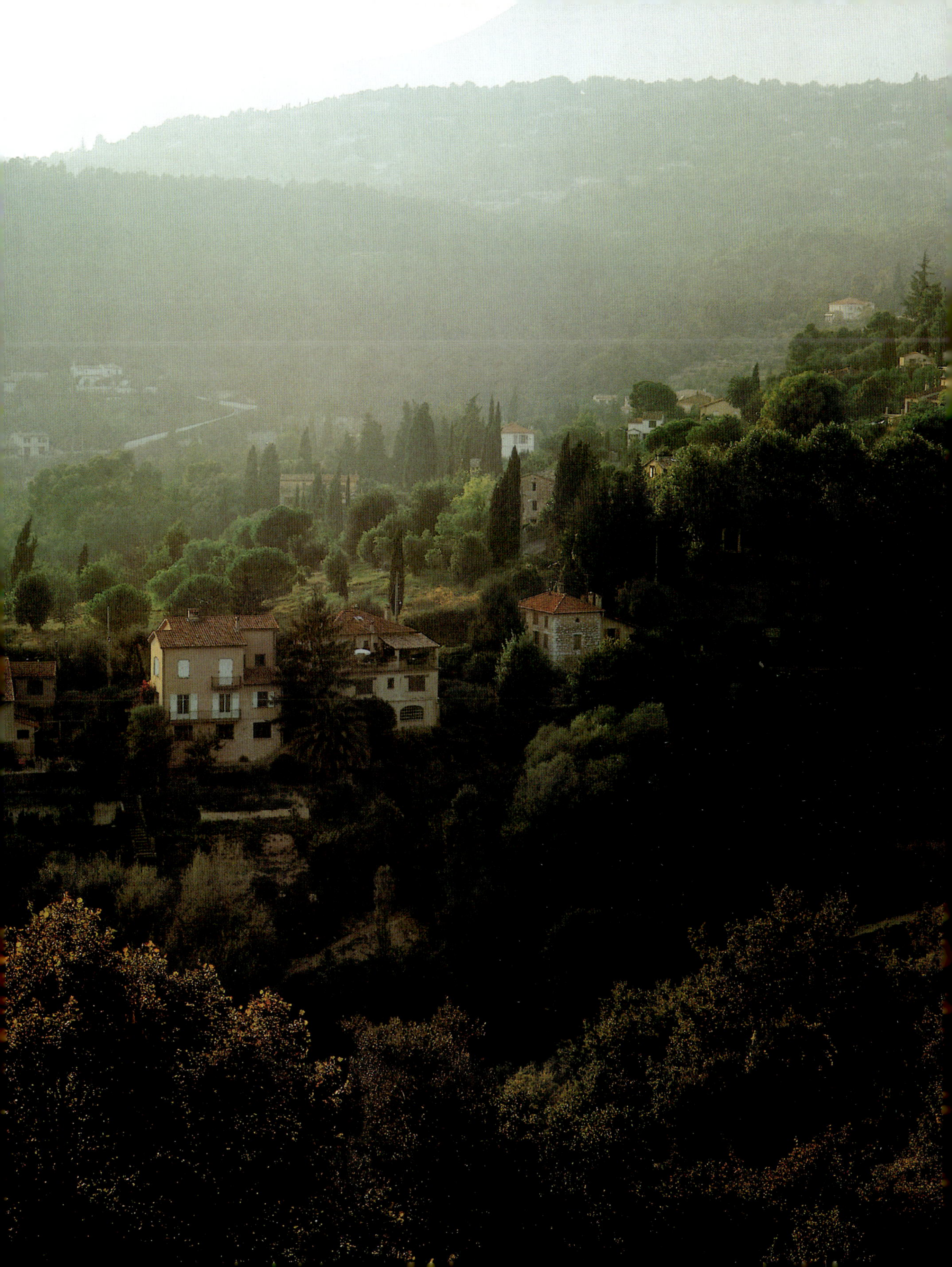

サン・ポールでよく見られる風景。背の高い家が村の端にぴったり貼りついている。

右ページ：砦の真下は、ヤシの木陰の散歩道になっている。人気の球技、ペタンクをやるのにもうってつけ。

160　アルプ・マリティーム／サン・ポール・ド・ヴァンス

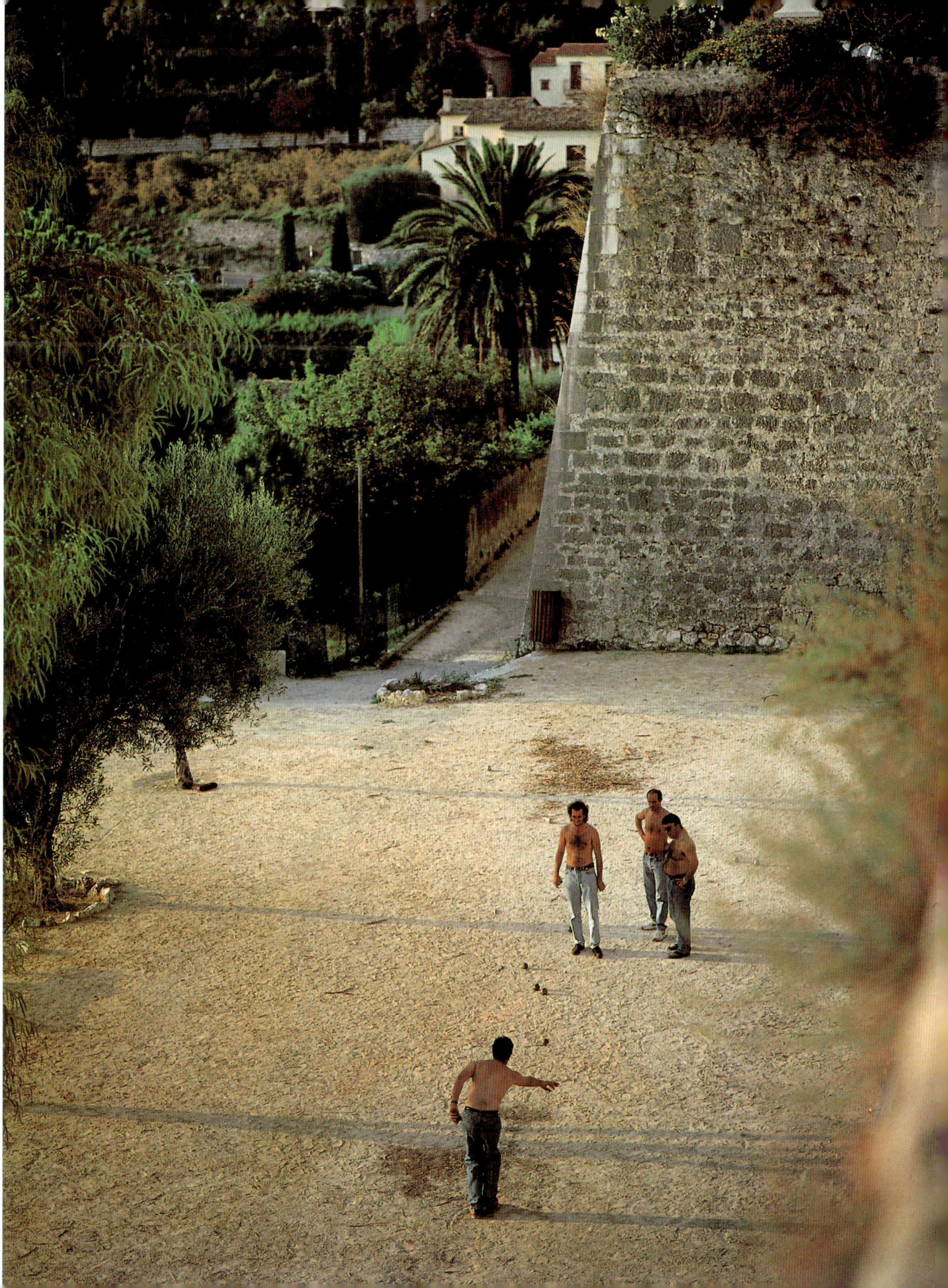

162　アルプ・マリティーム／サン・ポール・ド・ヴァンス

印象的なマーグ美術館。設計者のホセ・ルイ・セルトは、建築物とまわりの景色とを隔てる障壁を壊したいと切に願っていた。さらに、建築家と画家、彫刻家と工芸家が密に連携するべきだとの思いも強かった。美術館の敷地内にある異国情緒に満ちたテラスは、サン・ポールが現代芸術の国際的中心地であるという証。

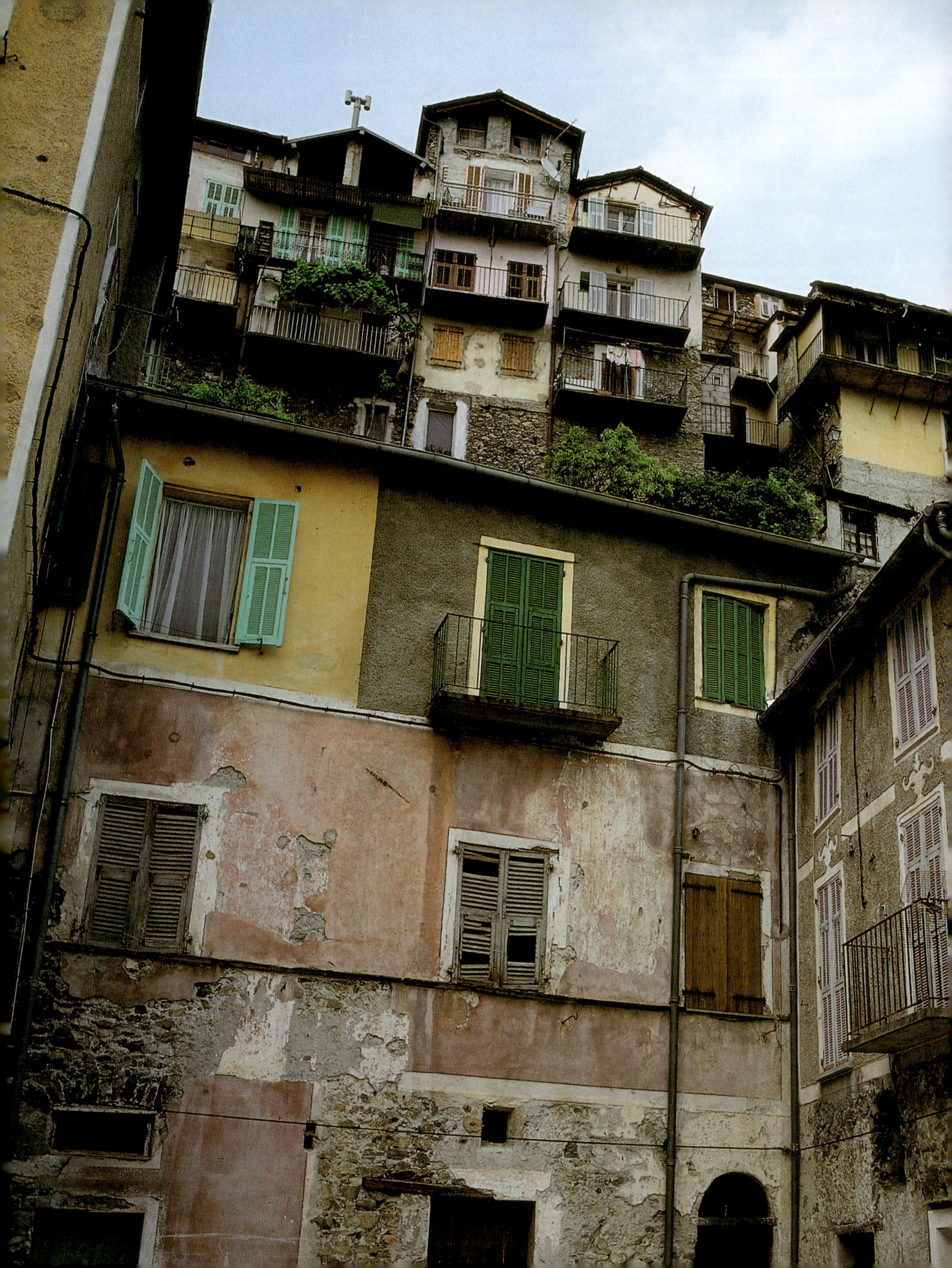

Saorge サオルジュ
ALPES-MARITIMES

　オリーブや灌木、香り植物といった自然が広がる高い山の上、三日月の形をした村サオルジュは、重力に逆らうかのように、ほぼ垂直の斜面に貼りついている。

　プロヴァンス伯爵領だった12世紀から13世紀を除き、サオルジュはほぼイタリアの統治下にあった。最初はヴェンティミーリア伯、後に、サヴォイア公国の領地となる。サヴォイア公によって要塞化されると、何世紀にも渡り難攻不落と考えられていた。1793年に要塞がついに壊されて以来、村の外観はほとんど変わっておらず、今も15世紀から18世紀の建物がそのままの姿を残している。珍しいことに、観光地らしい様子や外国人が移り住んでいるという気配も見受けられない。むしろ、村は静かな、農業のコミュニティーの様相を呈している。

　その歴史を考えれば当然だが、そびえ立つ鐘楼、青やオークルの色でぬられた、バルコニーのある背の高い家など、サオルジュの外観はまさにイタリアそのものだ。車を村の北端に置き、その先の目抜き通りを行くと、狭い石畳になっている。村の両側へ下る険しい石段は、暗いアーチをぬけ、先が見えない。村のもう一方にはフランシスコ会の教会がある。バロック様式で、背後にはあたり一帯の素晴らしい景観、眼下には11世紀のマドンナ・デル・ポッジョ教会を望む。

左：バルコニーを擁した高い家など、村の中心にあるほとんどの建物はイタリア色が濃い。一方、最も立派な家は砦の真下にある（右）。写真の美しい曲線の家はバロック様式。

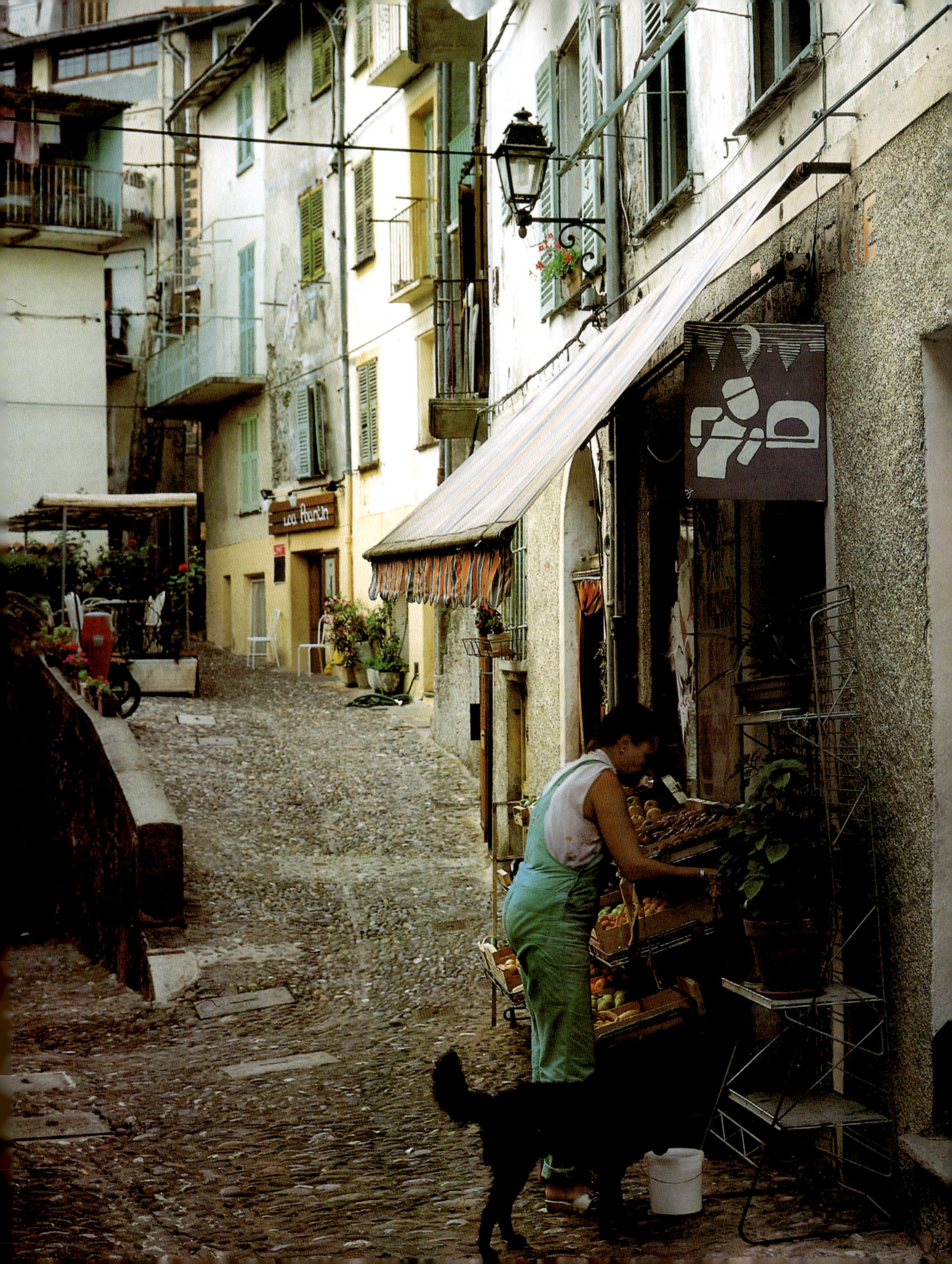

イタリア風の広場で遊ぶ子どもたち(左上)や村の商店
(左ページ)。こういった心休まる風景は、プロヴァンス
に観光の中心地とは別の暮らしがあると思わせてくれる。
右:村の端に建つ家は元々、16世紀の要塞の一部で
あった。
左下:屋根が瓦ではなくスレートなのは、東端の地域の
特徴。

アルプ・マリティーム／サオルジュ

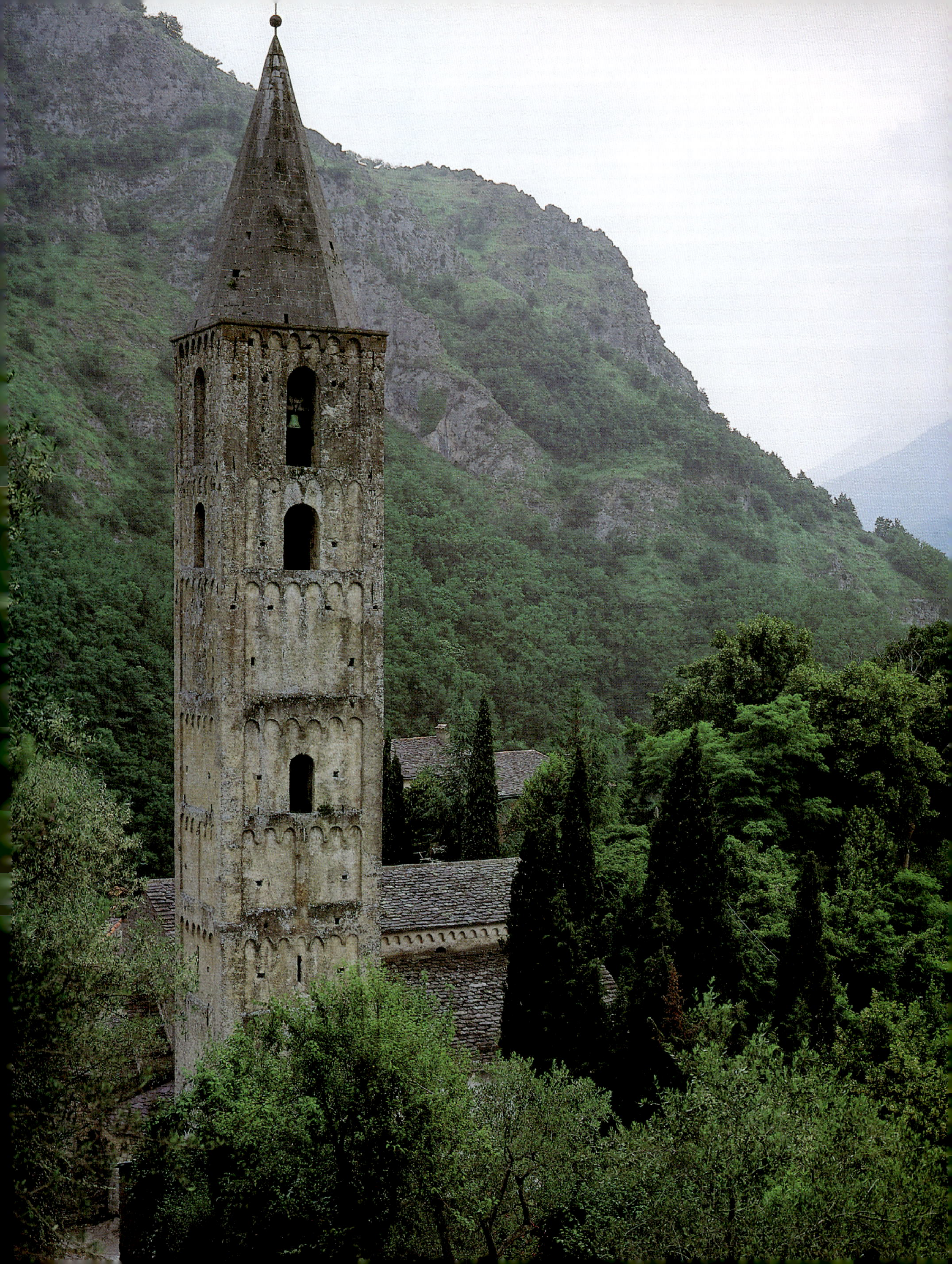

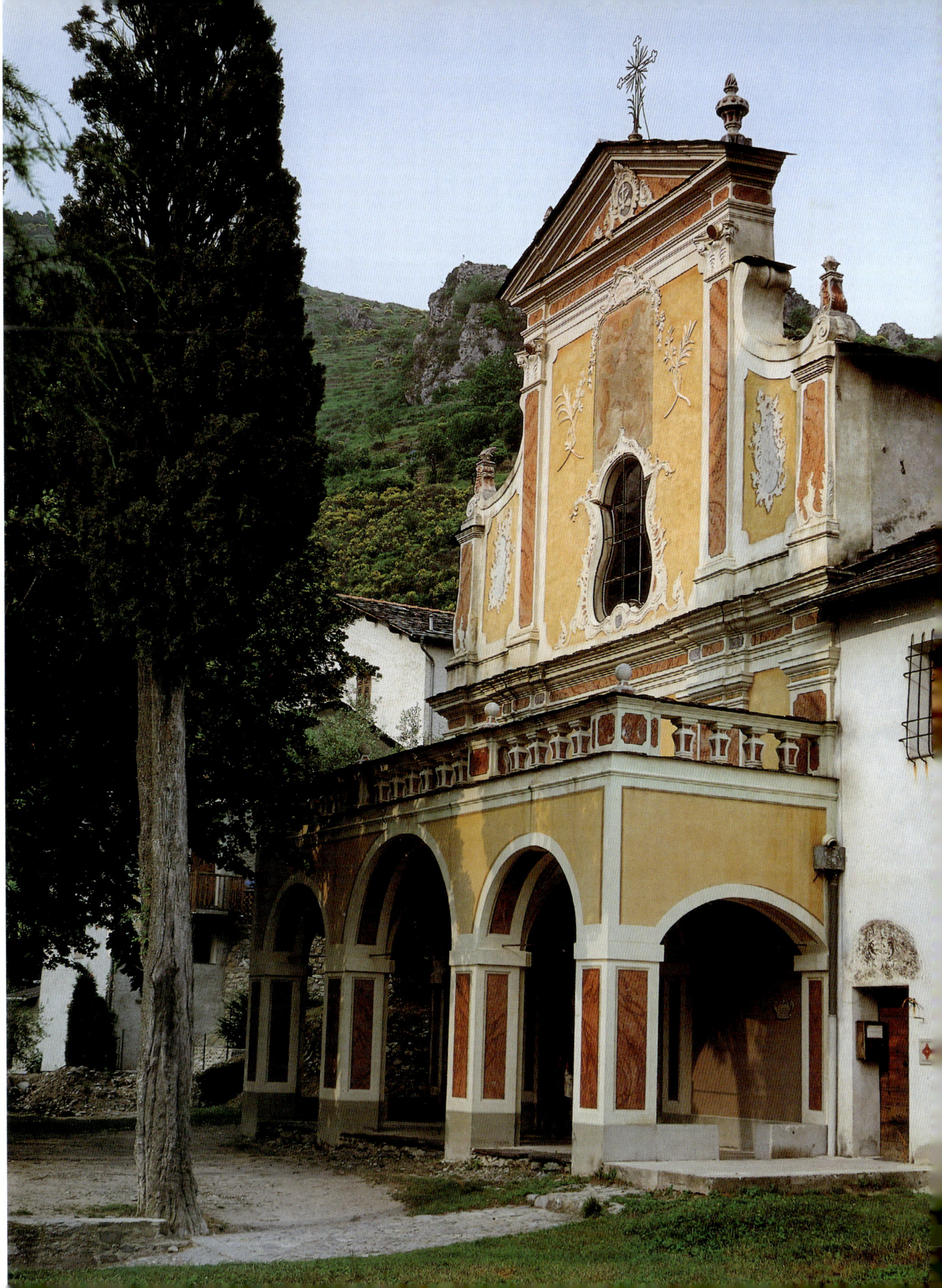

p.168:サオルジュの西のはずれには、木々や灌木に囲まれて、11世紀の美しいマドンナ・デル・ポッジョ教会が建つ。ロンバルディア建築で、ブラインド・アーケード（訳注：開口部のないアーチ。壁面などの装飾として使われる）がほどこされている。

p.169:村はずれにあるフランシスコ会の教会は、しゃれたバロック建築。隣接している修道院には今も修道士がいる。

右：フランシスコ会の教会のテラスからは、サオルジュの最も美しい風景を見ることができる。三日月形の村と地形に沿って曲線を描く家々との調和が見事。

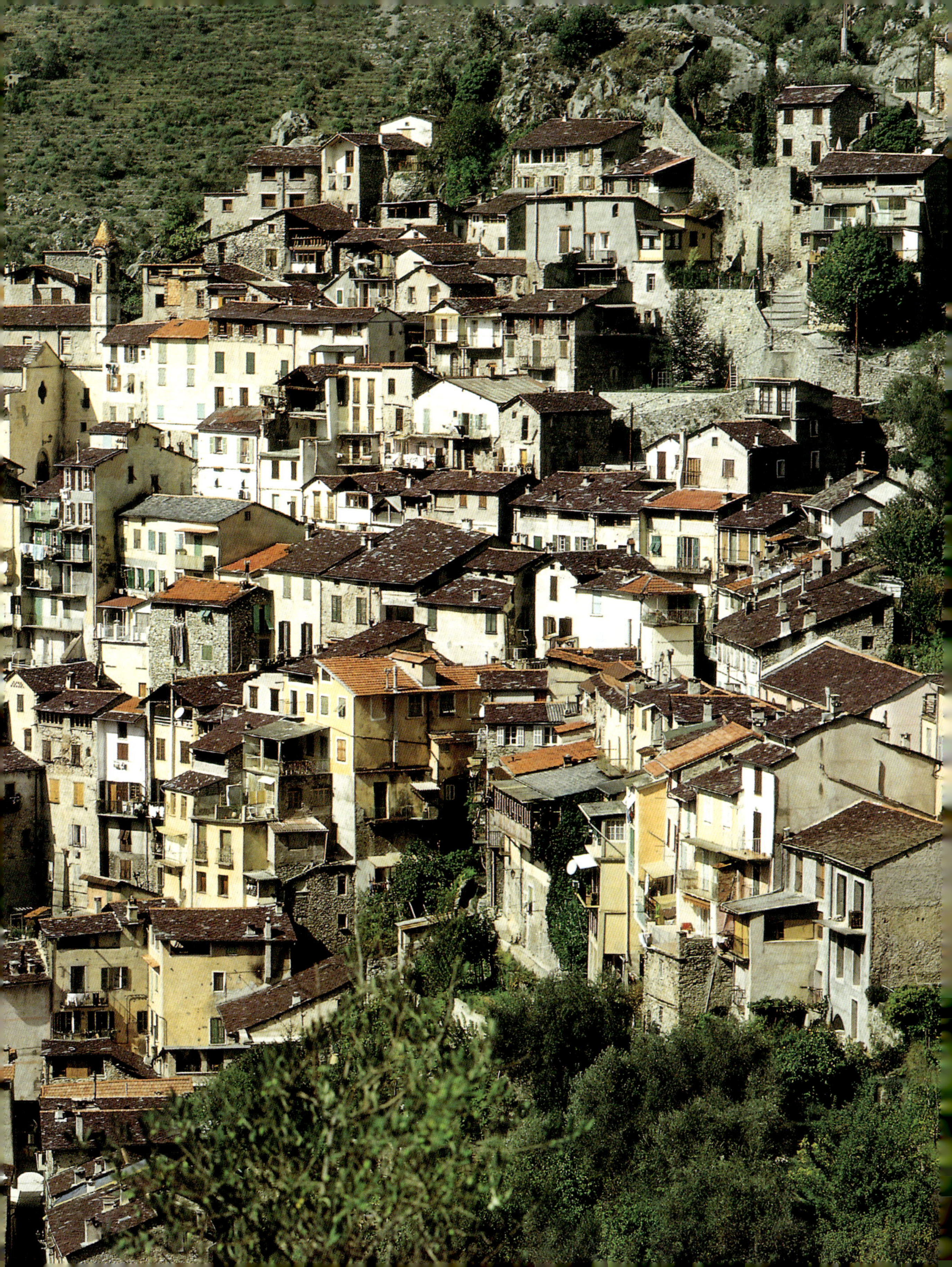

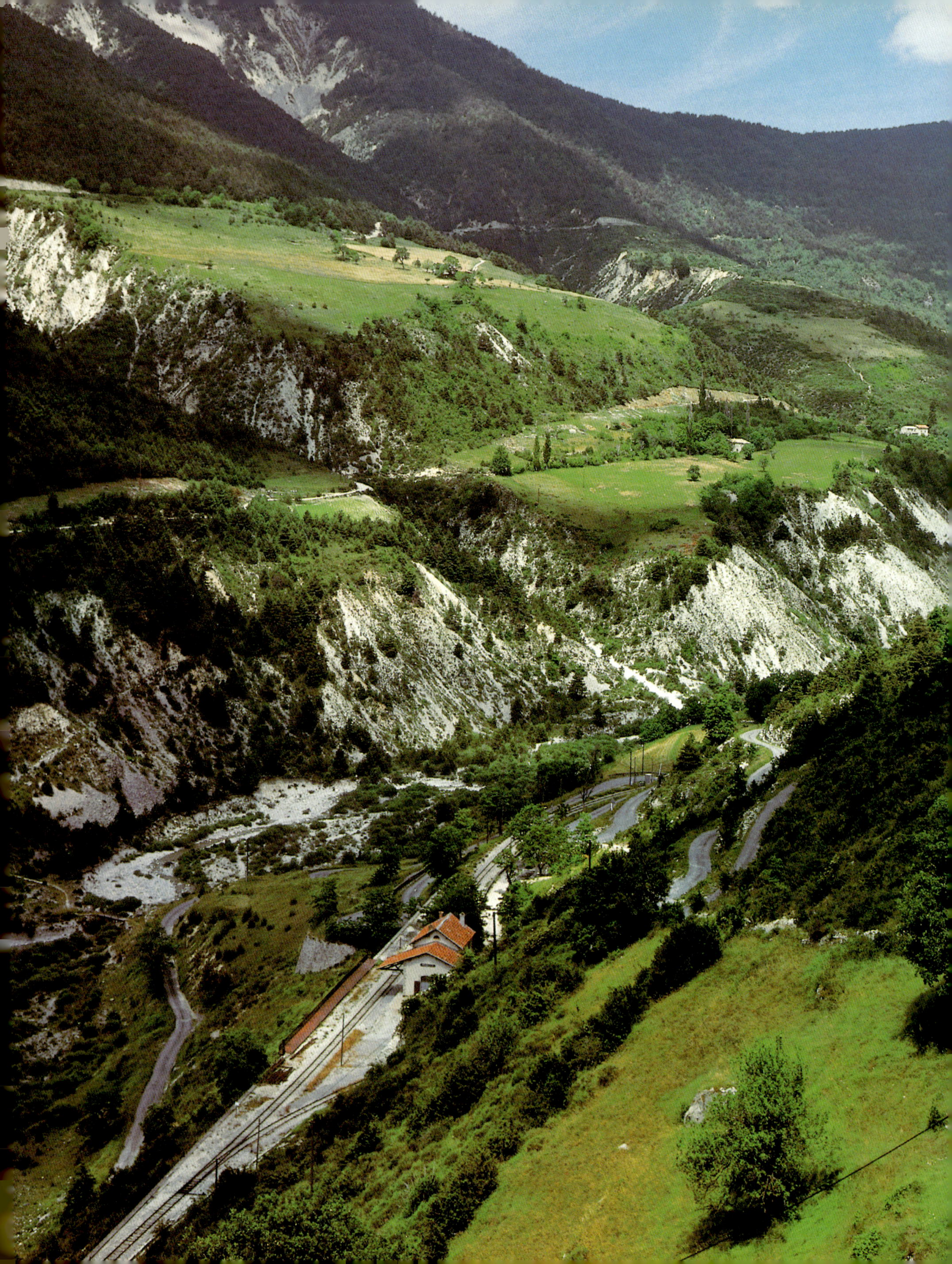

ALPES-DE-HAUTE-PROVENCE

アルプ・ド・オート・プロヴァンス

今や〈隠れたプロヴァンス〉としての呼び声も高い
アルプ・ド・オート・プロヴァンス。
南フランスの中でも特に手つかずの自然を誇り、
訪れる者の心を揺さぶる。
しかも、プロヴァンスの沿岸に広がる町や村とは
正反対の様相を呈している。
この地で生まれた最も有名な小説家ジャン・ジオノにとって、
オート・プロヴァンスこそ唯一無二のプロヴァンスであった。
西に接するのは日に焦がされたリュール山脈。
近くに位置するモン・ヴァントゥに比べ、
荒々しく近寄りがたい。
東側には、アルプスにほど近いコミュニティーも擁している。
とりわけアントルヴォーやコルマールは、
フランスの要塞化された村の中でも
ひときわ昔の姿を残している。
この地を見おろすのがヴァランソル高原。
3月と7月にはアーモンドの白い花や
ラベンダーの明るい紫の花で鮮やかに色づく。

左ページ：メアイユへ続く道から見たヴェール渓谷。

Annot
アノット

ALPES-DE-HAUTE-
PROVENCE

　緑濃い山あいに位置するヴェール渓谷の入り口を守るように広がるアノットは、牧草地、マツの木、そして、遠くにそびえ立つ山々といった自然に囲まれ、プロヴァンスとアルプスの要素を併せ持っている。紀元前4世紀頃、リグリア人がこの地へ最初に入り集落を築いた。中世の初め、村は現在の場所となるヴェール川沿いのなだらかな斜面へ下りた。
　アノットは、交易路の要だったヴァール渓谷の近くに意図的に築かれ、重要な要塞の村から、夏のリゾート地として、さらにはシャルキトリー（肉加工食品）産業の中心地として栄えた。かつての要塞が連なる目抜き通りは活気に満ち、カフェやレストラン、そして賑やかな市場で生き生きとしている。この喧噪を逃れると、まったく対照的な、静かで憂いを帯びた路地が伸びている。ここは古くから残る地区で、主に16世紀から17世紀に建てられた家が並んでいる。灰色をした、アルプスの石造りの建物が主だが、立派なリンテルの上には優雅で華やかな飾りも多く、さらに、隣のイタリアから伝わったトロンプ・ルイユの技法を使った装飾の跡も所々に見られる。何よりも目を引くのは、飾り気のない、太く立派な石柱にささえられた共同洗濯場だ。

左：ノートルダム寺院の小礼拝堂へと続く道には〈十字架の道行きの留〉を成す石柱が並び、草地の向こうのアノットを望む。

右ページ：プロヴァンスらしい風景。魅力的なこのオテル・グラックは家族経営で、オート・プロヴァンスの村に多い小さな簡易宿泊所の典型だ。

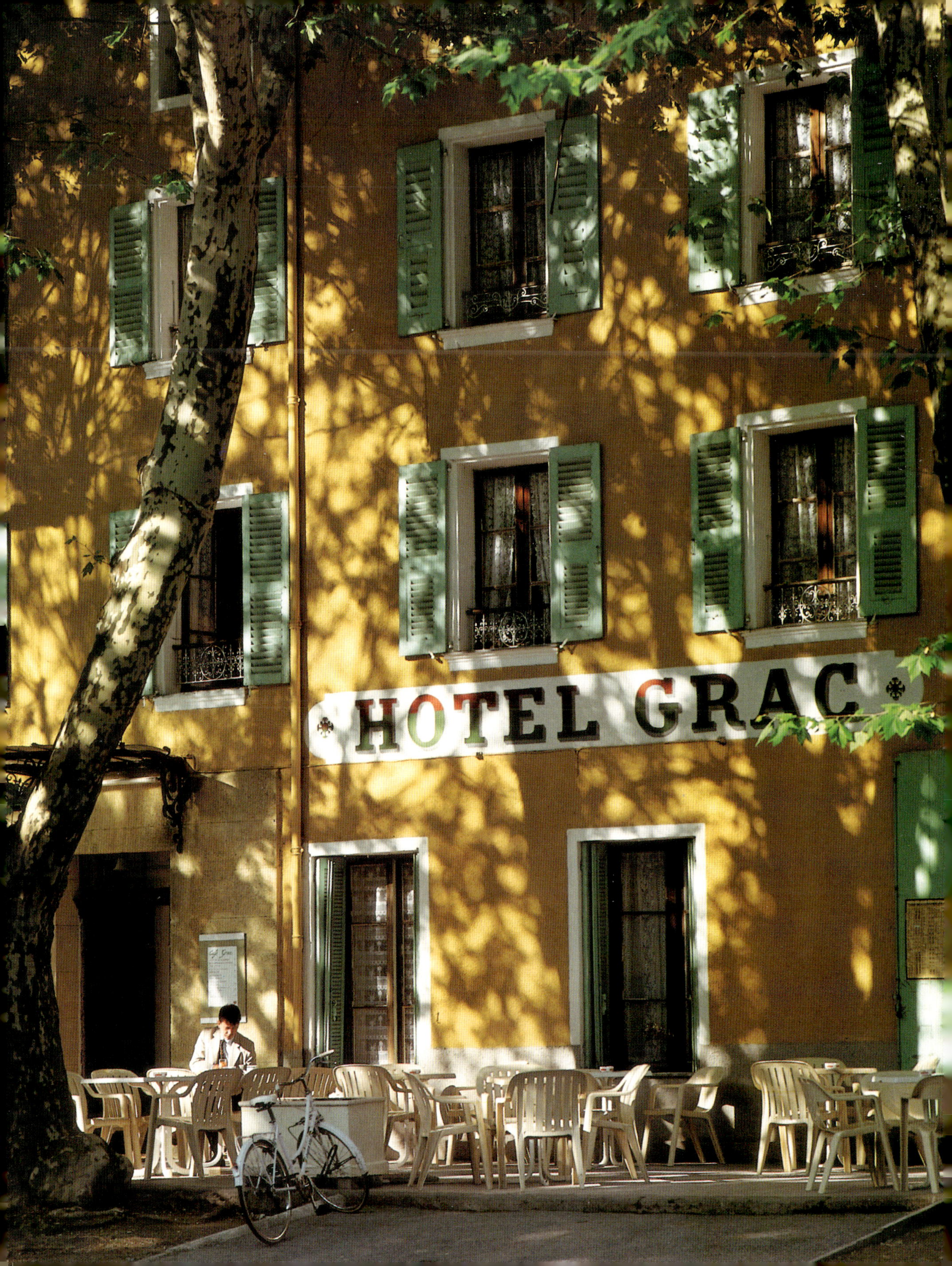
HOTEL GRAC

上：中世初期から残る、サン・ポン教会の鐘楼。アノットの中心広場の奥に伸びる静かな通りを見おろしている。
右ページ：アーチをくぐると、まったく違った風景に。
下：アーケードを張り巡らせた17世紀の宮殿が、当時の姿を残している。これは村で最も古く立派な建物のひとつ。

176　アルプ・ド・オート・プロヴァンス／アノット

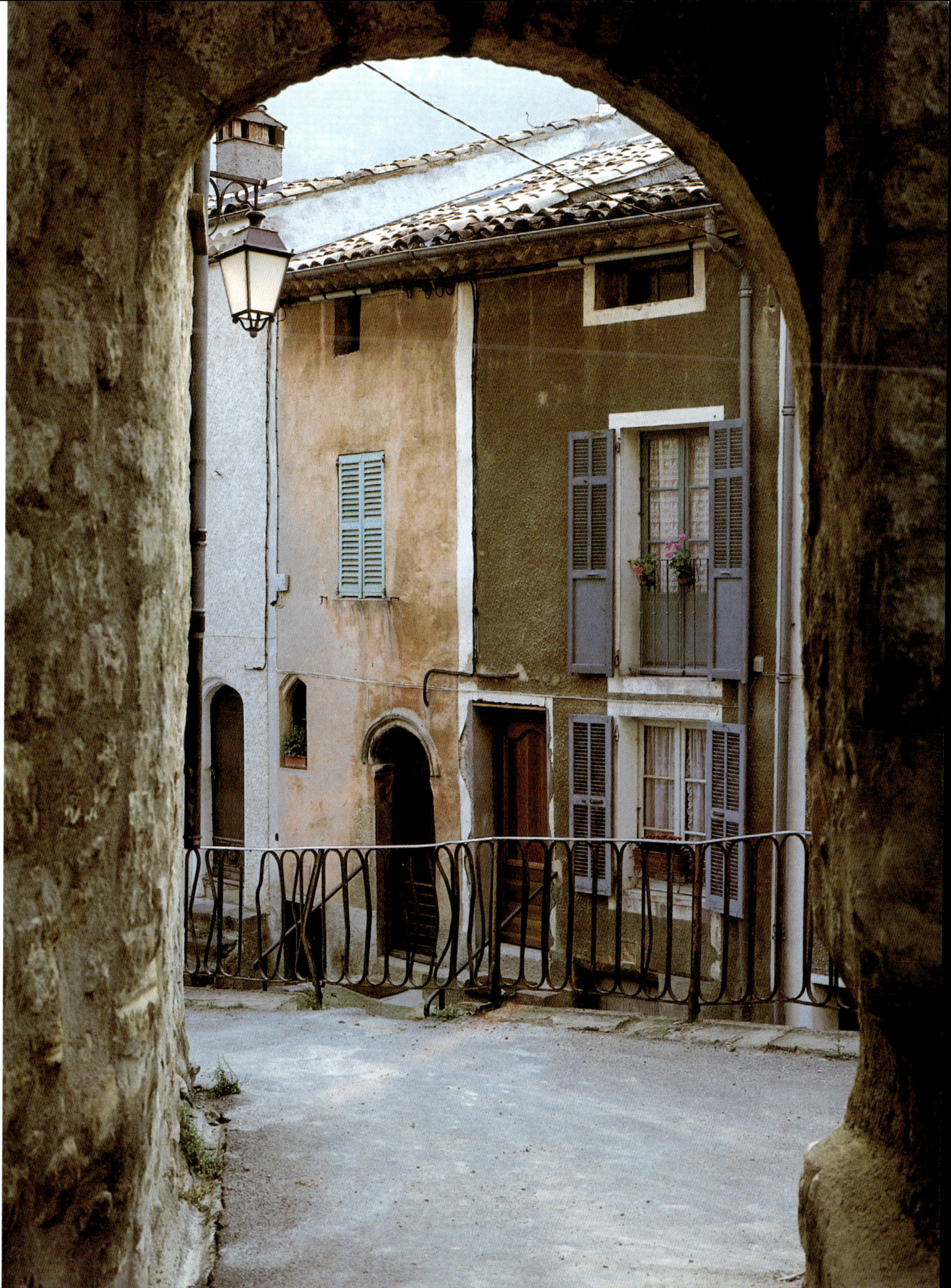

Colmars-les-Alpes
コルマール・レ・ザルプ
ALPES-DE-HAUTE-PROVENCE

右：コルマールの村は、17世紀の2つの要塞の間でぶら下がっているように見える。写真は〈フランス要塞〉。その後ろの、村の北門の向こうには、さらに大きな〈サヴォイア要塞〉(左)がある。
p.180：厳かなコルマールの中心地をサン・マルタン教会の塔が見おろす。
p.181：要塞のアーチの下にきれいに積まれた薪。冬の厳しさがうかがえる。

　コルマールは、軍神マルスにちなんだコロ・マルシオ（Collo Martio）という丘の上にローマ人が築いた。ヴェルドン川上流の猛々しい流れを従え、そびえ立つアルプスの峰に囲まれた、軍事建造物の宝庫だ。
　当時栄えた繊維産業の中心地として19世紀まで賑わいを見せるとともに、1388年以来フランスとサヴォイア公国とに挟まれた重要な地であった。元々の要塞は16世紀の初め、カール5世との戦争が繰り返されていた時代、フランソワ1世の手ですべて建て直された。今日残っているのは、サヴォイア公がフランスに宣戦布告した1690年以降に再修復されたものだ。プロヴァンスで軍事建築を担うニケが、偉大な軍事建築家ヴォーバンの指揮で、古い要素を取り入れつつ再建した。
　ニケの手がけた2つの要塞（1つは廃墟化している）は、コルマールを囲む壁の両脇の丘に建っている。壁は大部分が修復されているが、監視塔と稜堡の奥には、憂いを帯びた美しい村が広がる。夏も冬も人気のリゾート地だが、奥の地域には、17世紀から18世紀の素朴な家が人通りのなく暗い道を見おろすように並び、静かで厳粛な雰囲気が漂う。褐色のテラコッタではなくスレートの屋根が、アルプスの冷たさを感じさせる。プロヴァンスの特徴ともいえる美しい噴水から水が落ち、心を癒す音が村中にこだまするのがせめてもの温かみだ。

アルプ・ド・オート・プロヴァンス／コルマール・レ・ザルプ

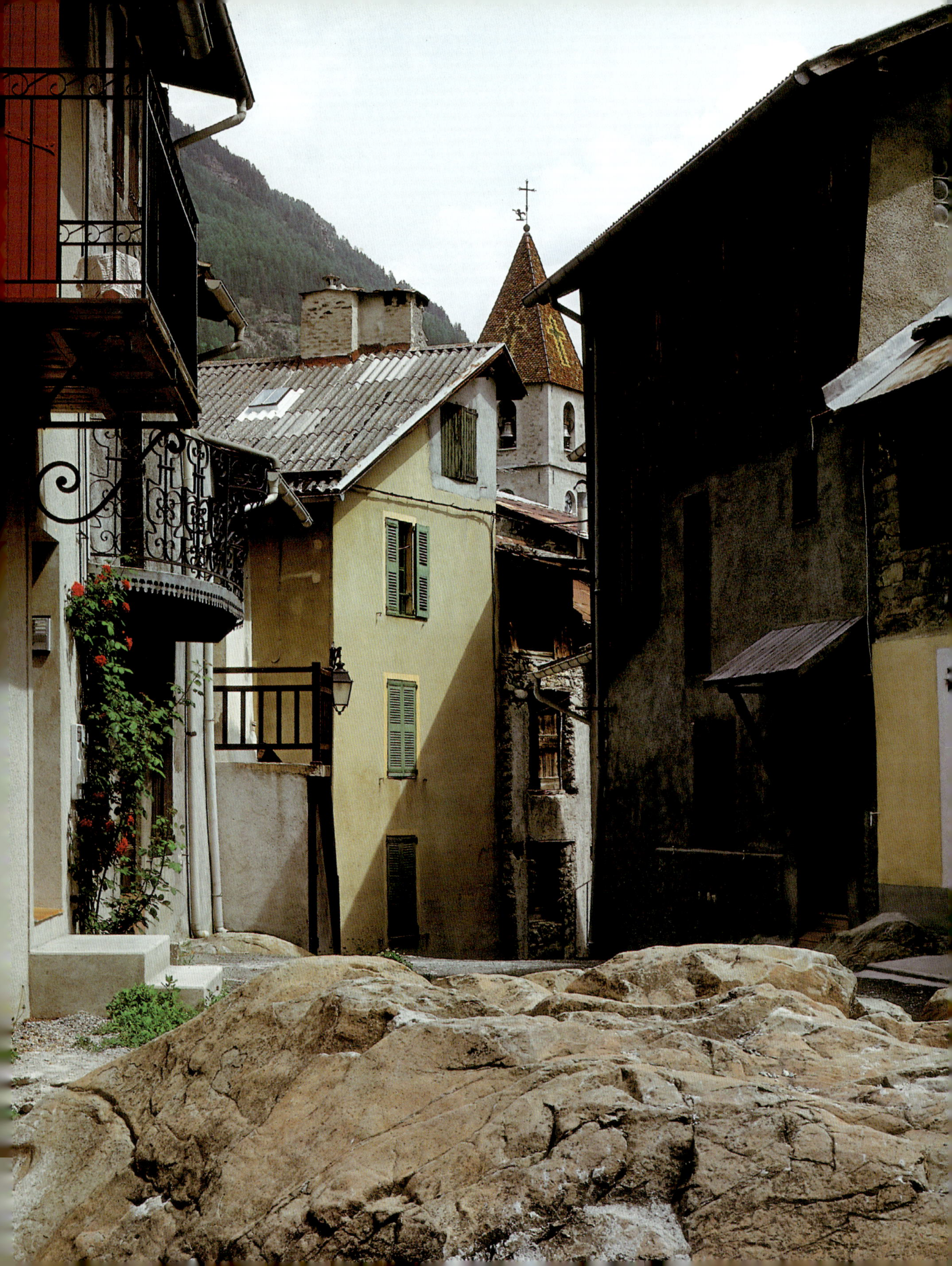

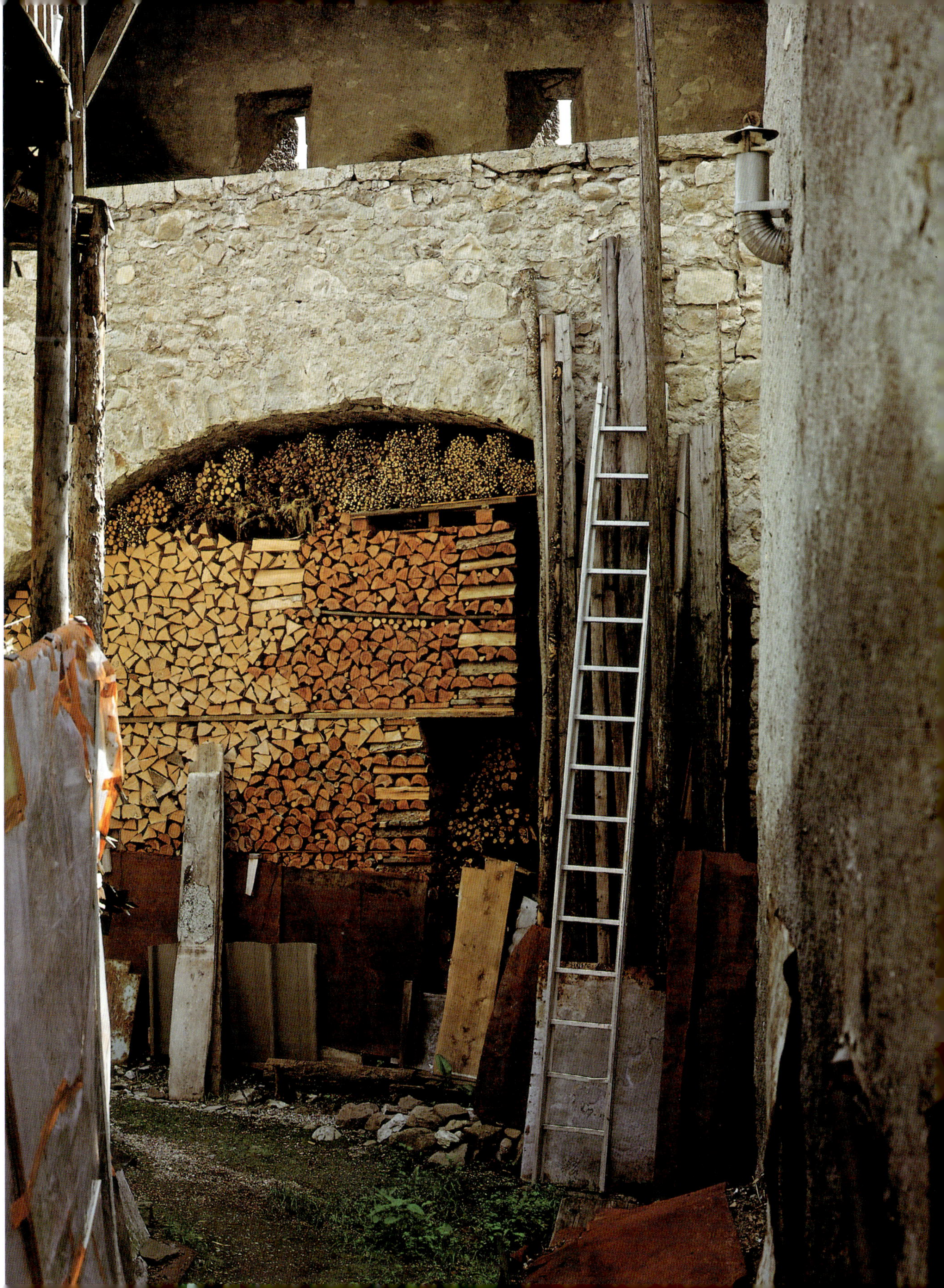

左上:〈フランス門〉こと、村の南門。昔の日時計とフラ
ンソワ1世の紋章を擁している。
左下:両側の壁に守られた道は、村の門から〈フランス
要塞〉へと続く。

右:〈サヴォイア要塞〉から見たコルマールの絶景。左
には〈フランス要塞〉が。

182 アルプ・ド・オート・プロヴァンス/コルマール・レ・ザルプ

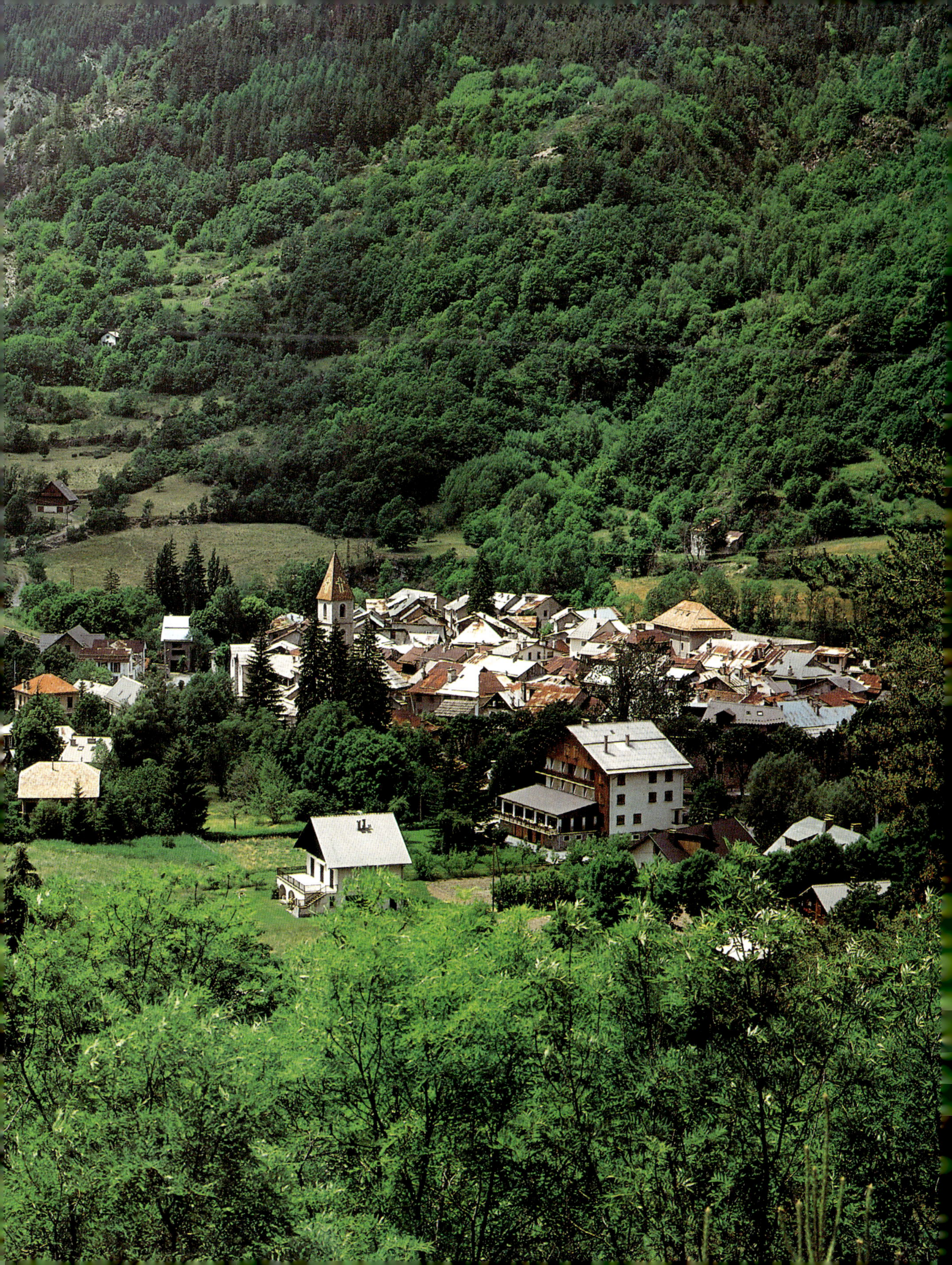

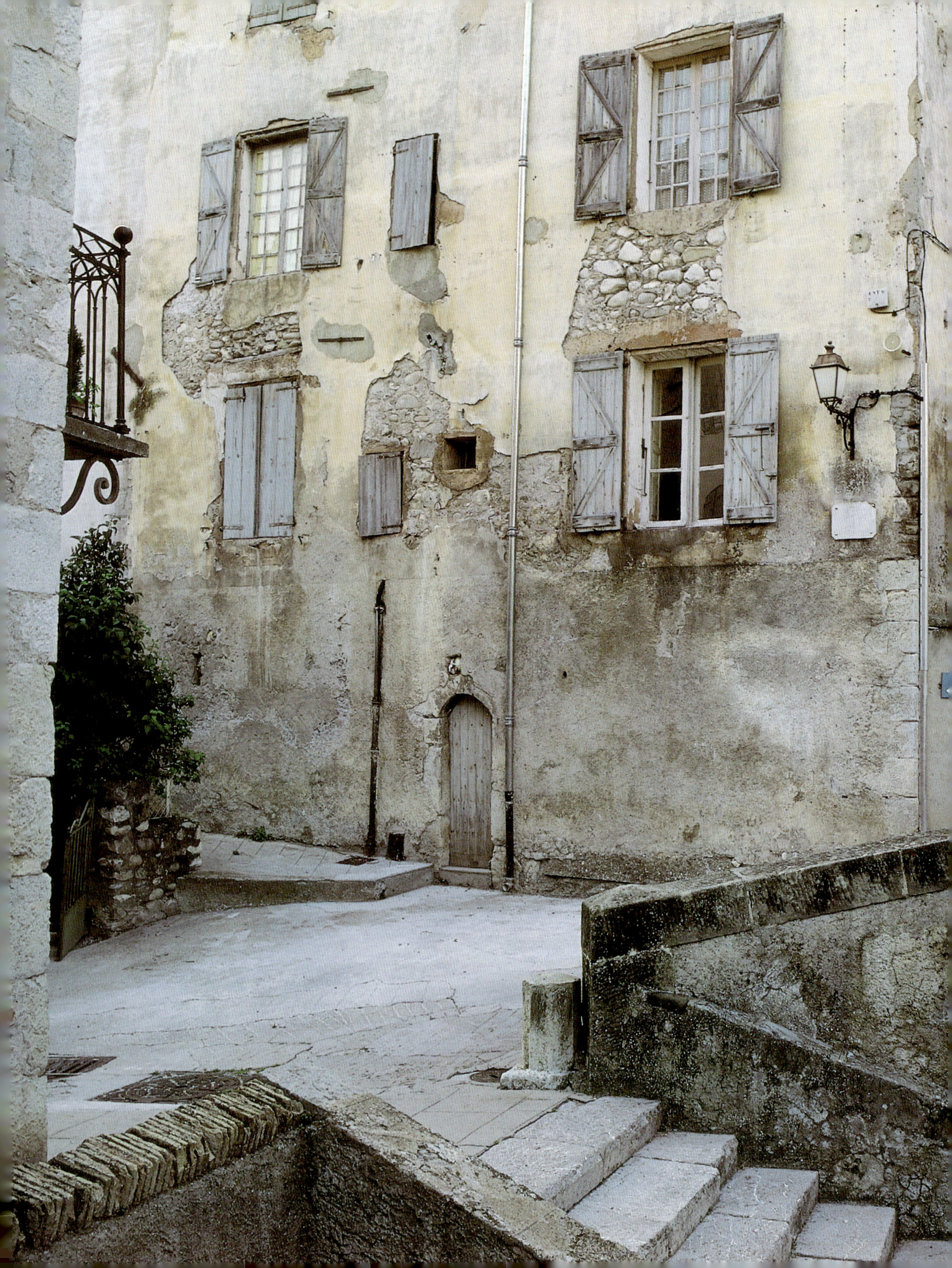

Entrevaux
アントルヴォー

ALPES-DE-HAUTE-PROVENCE

　ヴァール川の激流の上、岩から突きでて広がるアントルヴォー。かつてフランス王国とサヴォイア公国を隔てていたアルプスの渓谷を見守っているようだ。堀と跳ね橋を備えた、昔の姿をそのまま残す要塞の村である。緑濃い山々を背景に、おもちゃの町のような魅惑的な佇まいを見せている。

　アントルヴォーの起源はローマ人の集落で、後にグランデーヴ司教領となる。ヴァール川右岸の平らな土地で、フランスとサヴォイアとに領有されるという特異な状態のまま、数世紀の間栄えた。度重なる洪水や山賊の襲撃に遭い、中世後期になると徐々に人が去り、対岸に今の村がつくられた。1694年、ルイ14世がアントルヴォーを防衛拠点にすると決め、軍事建築家ヴォーバンに要塞の再建を委ねると、この新たな村の重要性は非常に高まった。

　ニースから続く広い道を経てアーチ形の高い橋を渡ると、両側に丸い塔のある村の入口に着く。中は静かで車通りもない。建物がいくつか並び、ヴォーバンの時代以来ほとんど変わっていないようだ。17世紀に建てられたかつての聖堂は、北の城壁と接している。そこから内側へ入り、9回ジグザグに折れ曲がった傾斜路（建設に50年を要した）を上ると、渓谷の見事な景観を望む、堂々たる砦に行き着く。

p.184-185、左上、左下:ヴォーバンの要塞の精密な構造が、アントルヴォーの険しい傾斜路や通りに反映されている。
右:かつての司教座聖堂のファサード。バロック時代の建築としては非常に簡素。装飾があるのは扉だけで、上部に、聖母マリア像の置かれた壁龕がほどこされている。
p.188-189:ヴァール川左岸に立つと、目の前には要塞化された村の迫力ある全景が。

アルプ・ド・オート・プロヴァンス／アントルヴォー

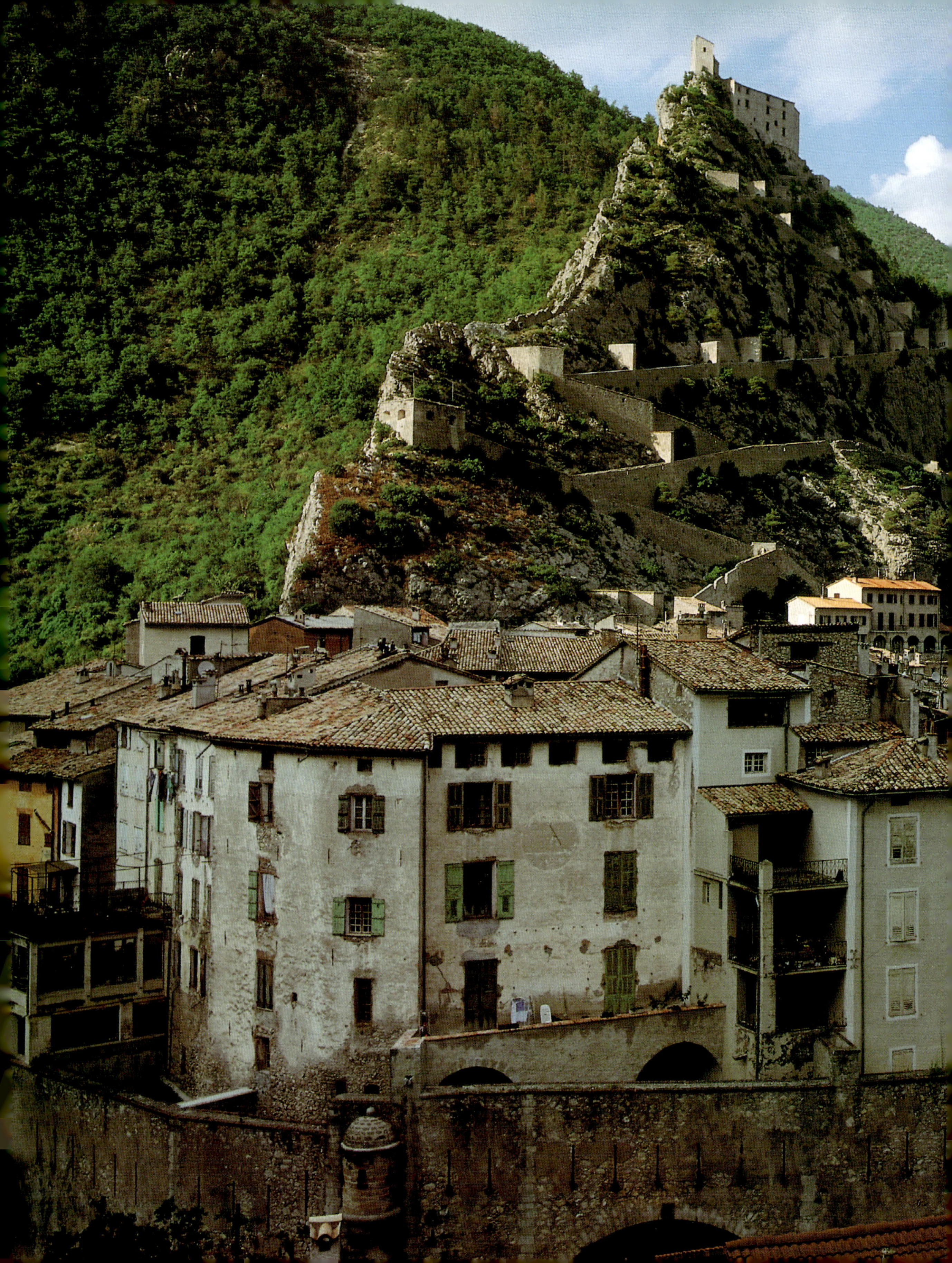

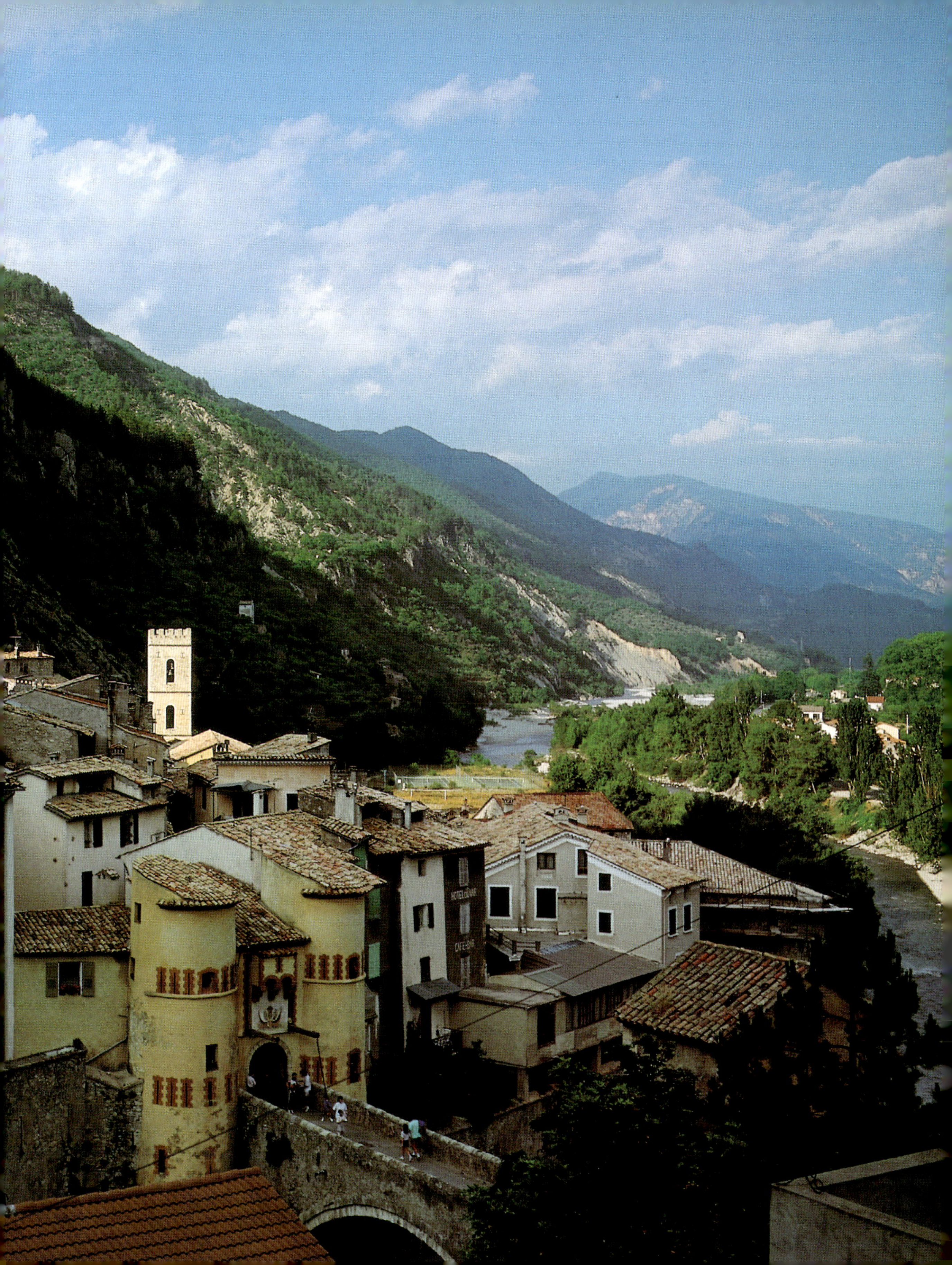

Lurs リュルス
ALPES-DE-HAUTE-PROVENCE

　プロヴァンスの美しい村といえば、その見事な眺望が魅力である。中でもリュルスは尾根の頂にあり、広大なデュランス渓谷の上でくっきりと浮かび上がった村からは、360度に渡る雄大な景色を望むことができる。葡萄園、オリーブの木、小麦畑といった、静かで素朴な風景がはるか南西へ伸び、北西には、マツで覆われた急斜面レ・メの幻想的な尖岩群、さらに遠くには、デュランス渓谷を見おろす荒涼とした尾根、そして広大なヴァランソル高原を見渡すことができる。西の壮大な景観は、この村が〈デュランス渓谷のバルコニー〉といわれる所以だ。

　村そのものは静かで、かつて重要な要塞の集落だった頃の面影はない。伝説によれば、この要塞はカール大帝が築き、後にシストロンの司教が外観を美しく整えたとされている。司教はリュルスを気に入り、その後代々住んでいた。だがフランス革命を経て、村は衰退の一途をたどる。すっかり廃墟となっていたが、1955年、小説家のジャン・ジオノが、版画家マクシミリア・ヴォクスを始め、グラフィックアーティストたちとともにリュルスを訪れる。彼らは毎年ここで版画やグラフィックアートを追究する国際的な集まりを開き、村を再建し蘇らせようとした。

　プロヴァンスで最も古い時計のうちのひとつを擁した時計台が、過疎の村の入り口だ。白みがかった石造りの家が、人の気配のない、太陽の照りつける路地に建っている。村の北はずれにあるのが、いわゆる〈Promenade des Évéques（司教の道）〉。景色のいい尾根伝いの道で、〈十字架の道行きの留〉が並ぶ。道の先の礼拝堂からやや西寄りに、ロマネスク建築の見事なガナゴビー修道院が見える。

デュランス渓谷から見たリュルス。うっそうとした森の上、岩がちの尾根から張りだすように、廃墟が点在している。

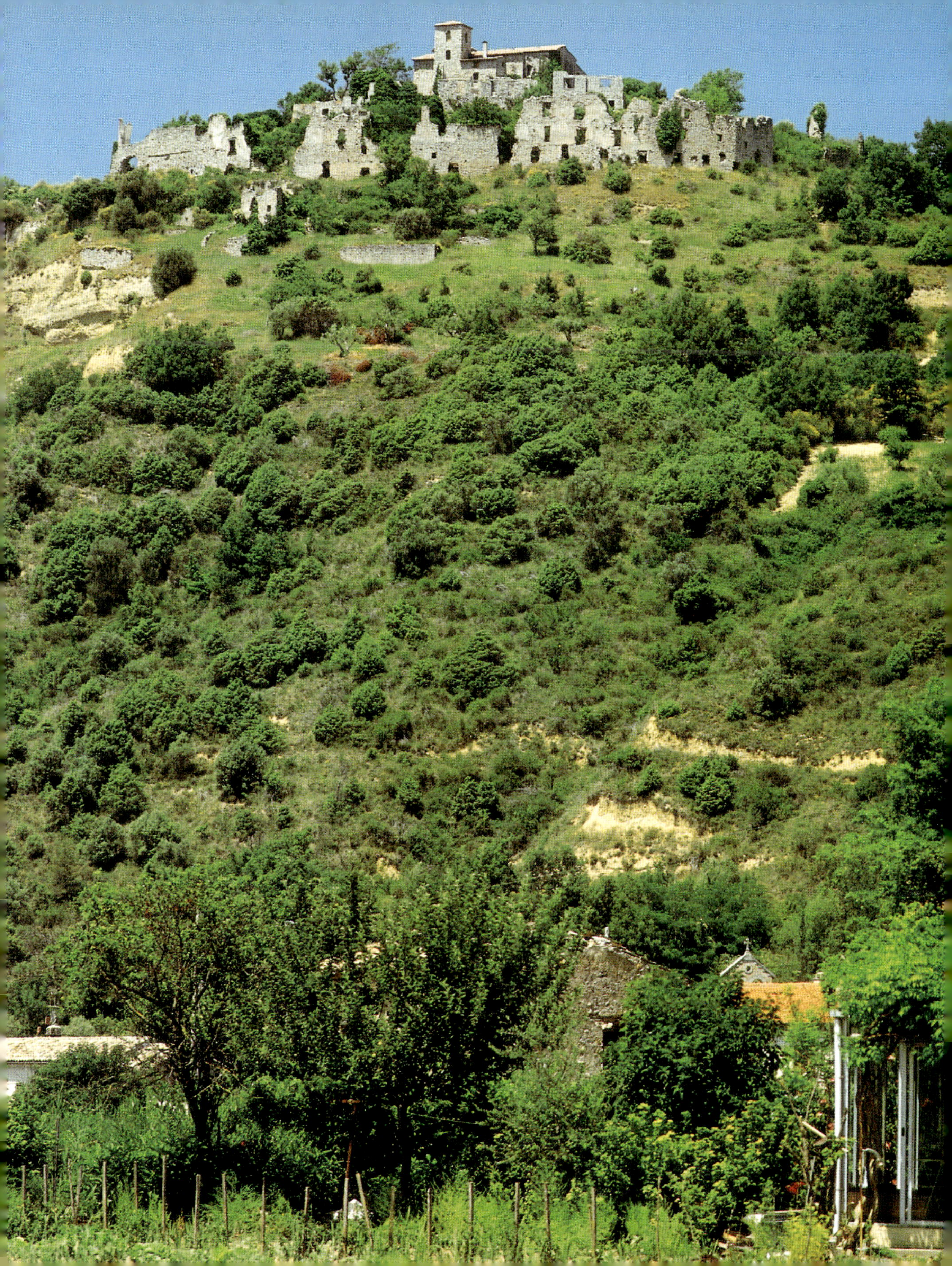

左下、右上、右下、右ページ：リュルスの家の多くは最近復元された。中には紋章がついた家も。
左上：有名な古い時計を擁した時計台が、村の要塞化された地区への入り口。

192　アルプ・ド・オート・プロヴァンス／リュルス

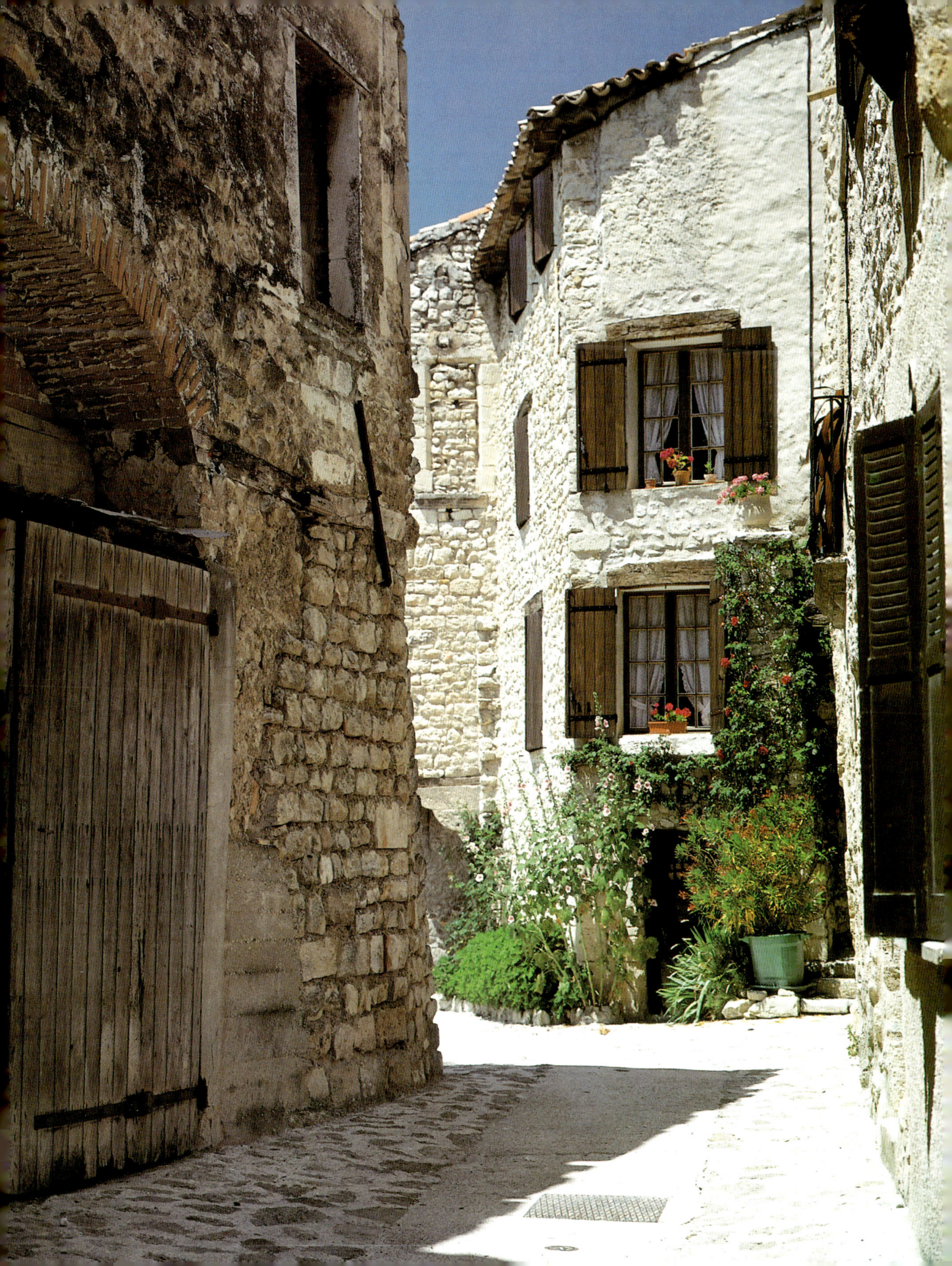

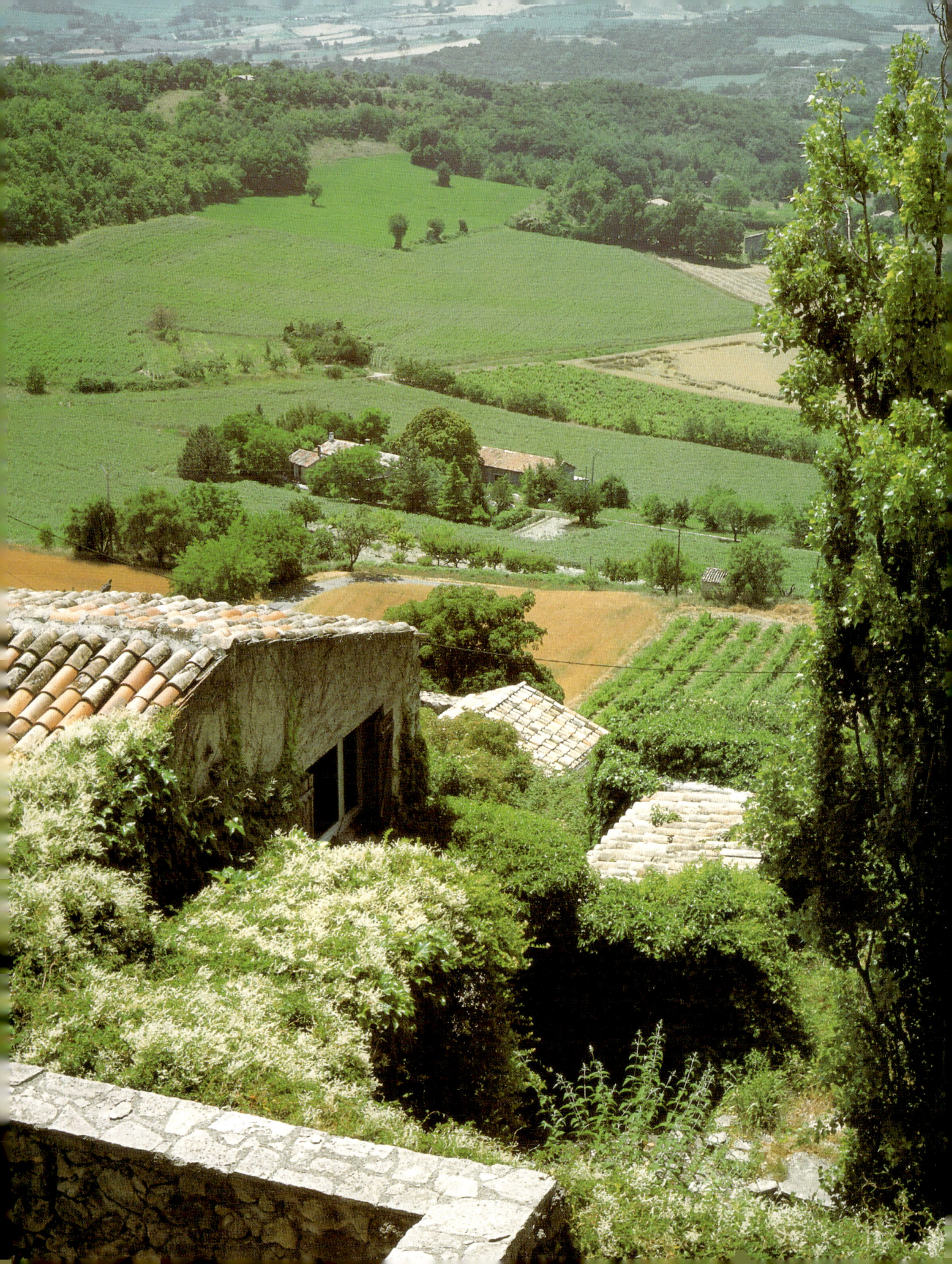

左ページ：村のはるか北へ伸びる肥沃な田園風景。リュベロン山へ続く眺めは、プロヴァンスが豊かな地だと思わせてくれる。
上：いわゆる〈Promenade des Évêques（司教の道）〉には、19世紀の小礼拝所が15箇所も。14世紀の素朴な教会、ノートルダム・ド・ヴィ（下）へ続く尾根の道を彩る。

Méailles メアイユ
ALPES-DE-HAUTE-PROVENCE

　アノットにほど近いヴェール渓谷に特徴的な、クルミやクリ、マツや岩の頂といった光景は、メアイユの手前で、アルプスの山々のより壮大な景観に代わる。
　小さな村メアイユは、谷沿いの広い道から分かれた危険な山道の上にあり、険しい崖の狭い高台の縁から谷を見おろす。プロヴァンスとしては非常に珍しく、観光とは無縁の村だ。時折、変わり者のパリナンバーの車を見かけるものの、過疎化が進む村に残るのは地元の農家くらいのものだ。家の脇の牧場で、どうにか生計を立てている。通りは轍だらけの野道と化し、まさにアルプスらしい一部木造の家は農舎になっている。唯一の商業施設は古いカフェ。中世の教会の白い鐘楼の下に隠れているように見える。この教会には祭壇まで伸びるロマネスク様式の長い廊下があり、彫刻がほどこされた尖塔はどこか奇妙だ。金属をひさし代わりにした共同洗濯場は今も使われている。

右:メアイユの全景とヴェール渓谷。目を回してしまいそうな景色を望む、村への山道から撮ったもの。下に見えるアーチは19世紀後半の線路。
左:教区教会のアルプス風鐘楼が村を見おろす。

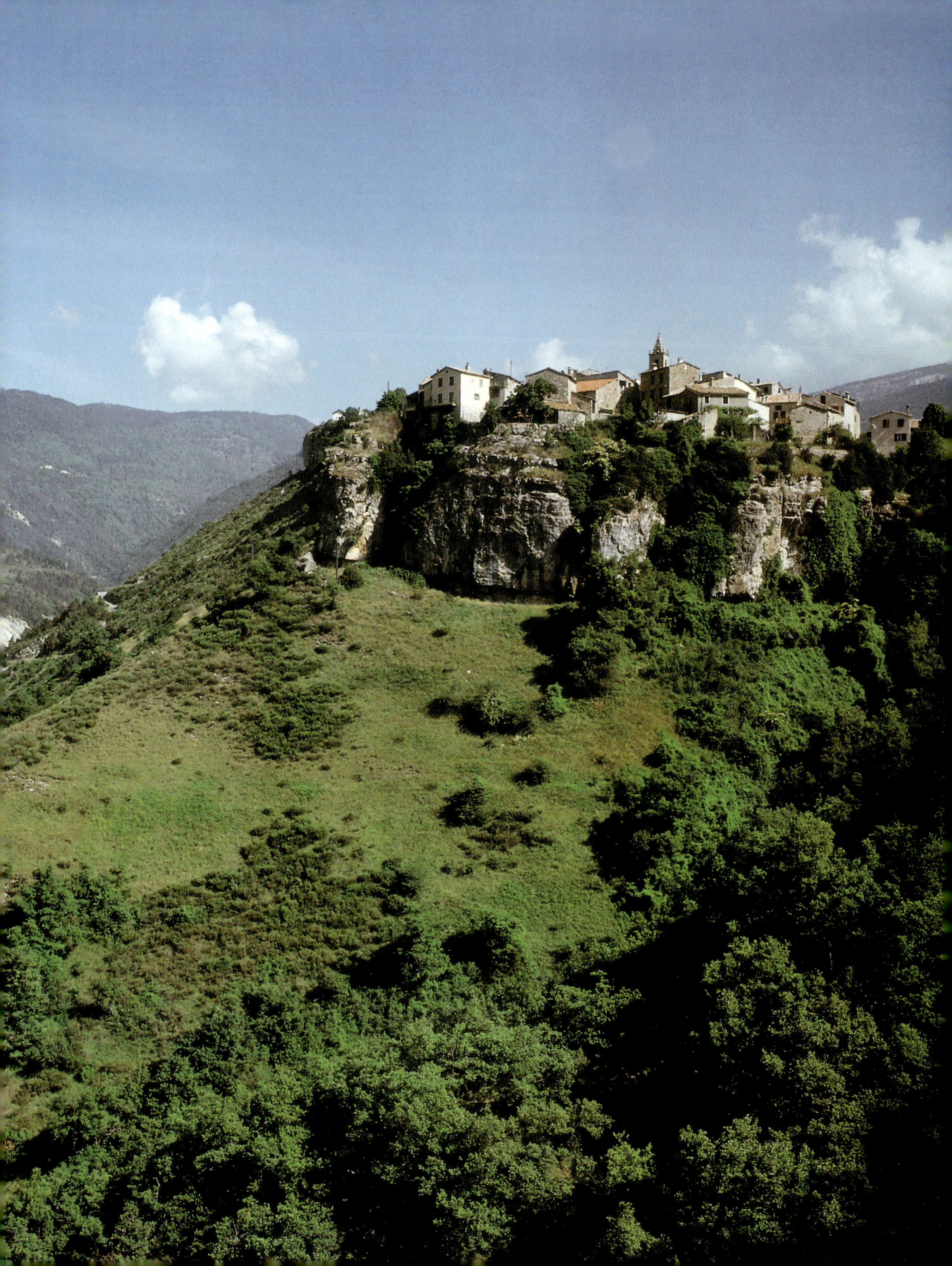

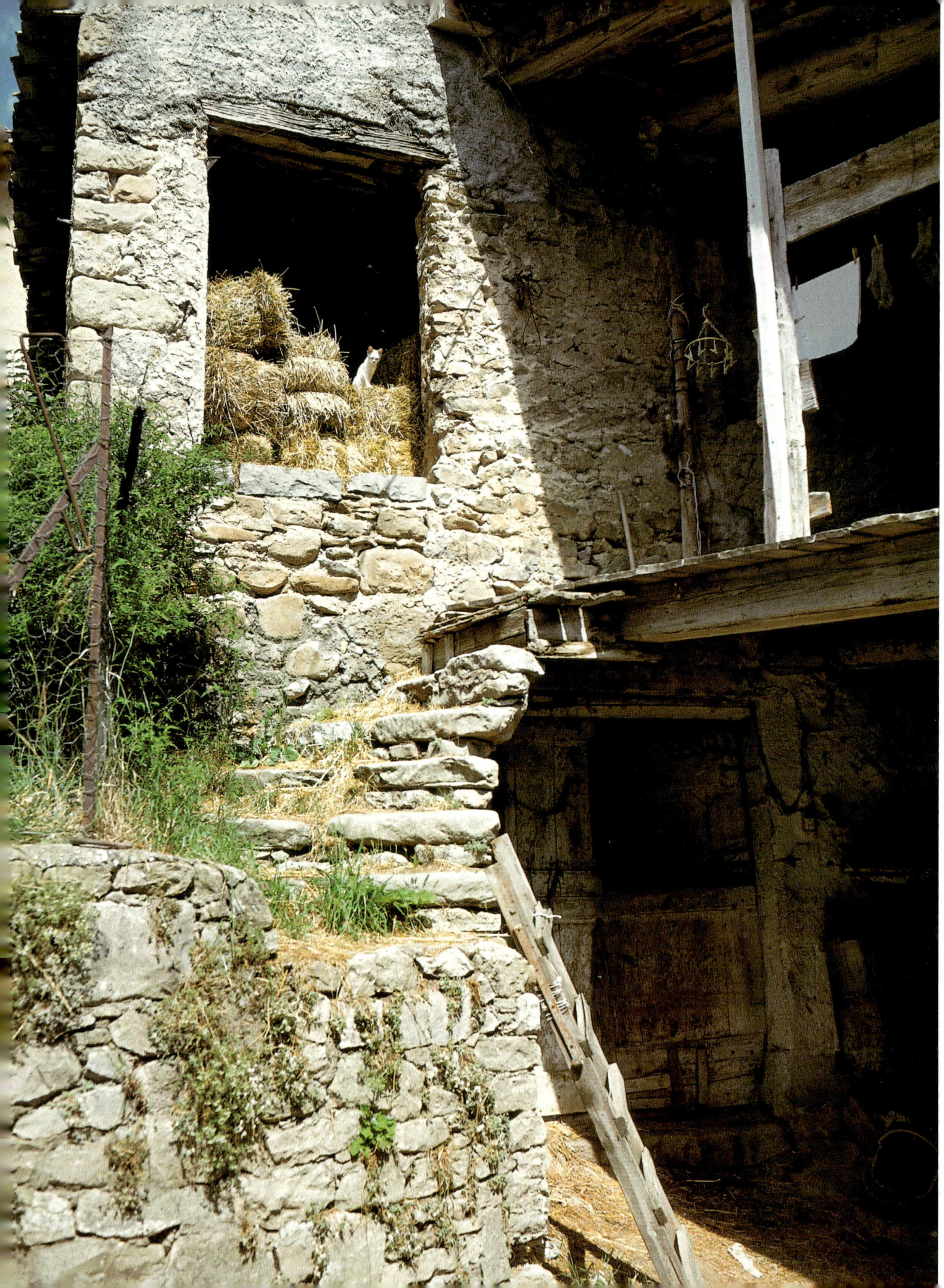

農具の中には昔ながらの熊手も。壊れかけた扉、石造りの頑丈な農舎、冬に備えてたっぷり積まれた薪、メアイユが厳しい状況の中生き残ってきた古い農村であることを思わせるものばかり。

アルプ・ド・オート・プロヴァンス／メアイユ

上：トラクター。メアイユに残る農家のもの。
右ページの左下：農夫。息子が家業を継ぐことについてはあきらめている。

200 メアイユ

右上：復元された教区教会の内部。外壁（左ページの下）や隣のカフェ（左上）同様、質朴。
右下：戦没者記念碑。第1次世界大戦で壊滅した村の悲惨さを強く物語る。

メアイユ 201

Riez リエ
ALPES-DE-HAUTE-PROVENCE

左：1950年代の発掘調査で、リエの草地に佇む4本のコリント式の円柱が、紀元前1世紀に建てられた神殿のファサードの一部だとわかった。
右ページ：村にそびえる時計台は、元々14世紀の要塞の一部分だった。隅に写る教会の塔は、かつての司教座大聖堂。

オヴェストル川とコロストル川が合流する緑濃い地。その狭い谷に広がるリエは、プロヴァンスの内陸地域とエクスやフレジュスとを結ぶ、ローマ人にとって重要な拠点だった。

村はずれの草地にはコリント式の円柱が4本そびえ、リエがかつてローマの植民地だったことを強く思わせる。これは恐らくアポロンを讃えた神殿の跡であろう。その近くには、やはり素朴な風景の中、大部分が修復された5世紀の洗礼堂がひっそりと佇み、初期キリスト教時代、リエが重要な地であったことを示している。リエは439年、名高いアルル大司教の元、ここで大きな会議が開かれた後、重要な司教領として築かれた。初代の司教はサント・マキシム。洗礼堂とそれに隣接した聖堂を建てた。聖堂は何世紀もの間にすたれ、骨組みを残すだけとなっている。

中世になると、リエは攻撃を避けるため、サント・マキシムにちなんだ名前がついた近くの丘の頂上に再建された。この新しい集落は13世紀、民衆が谷に戻ってしまうと廃墟と化し、頂に残るのは、ロマネスク建築の立派な聖堂だけだ。

フランス革命までは司教領だったが、何度か略奪されるうちに、今のような静かなコミュニティーになった。とはいえ、ヴナスクのように、かつて司教座が置かれていたほかの地と比べると、現在のリエは小さいながら色彩に富み、活気に満ちている。かつての要塞の境界を成した、木が立ち並ぶカンコンス広場を見れば、ここが芸術と農業の中心として栄えたことがうかがえ、狭い木陰の通りでは、中世の門や15世紀から18世紀の立派な建物をいくつも目にすることができる。

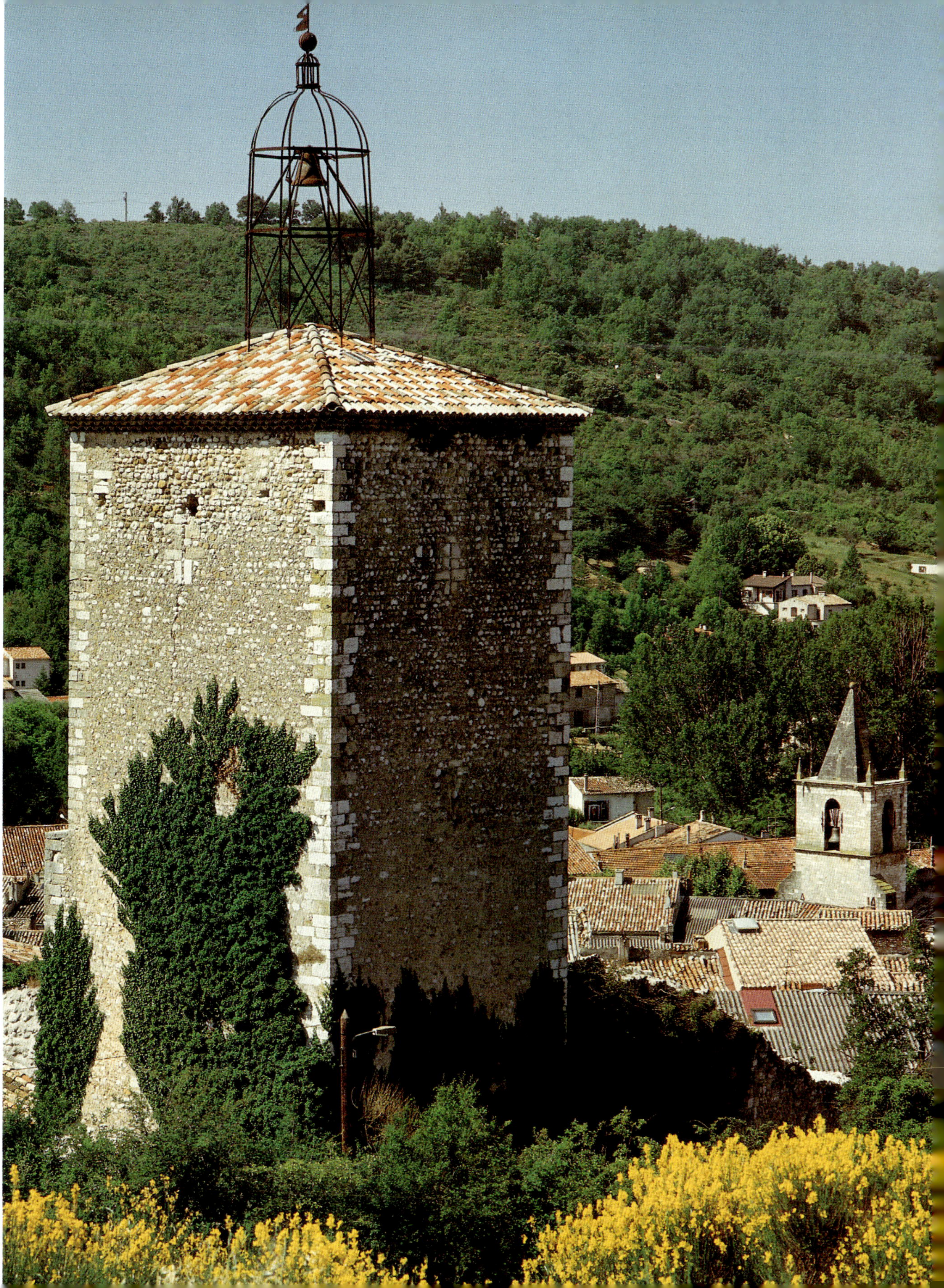

TABAC
BAR
BAR DE LA COLONNE
TABACS
OTO TABAC
Tél: 92.77.80.32
BAR DE LA COLONNE
OTO

14世紀に建てられたポルト・エギュイエール(下)の奥には、こぢんまりとして楽しげな広場が。中でも、18世紀の噴水(左ページ)は魅力的。支柱は、村はずれにある古代ローマの神殿をまねたもの。
上：蜂蜜専門店。リエがラベンダー栽培の中心である証だ。

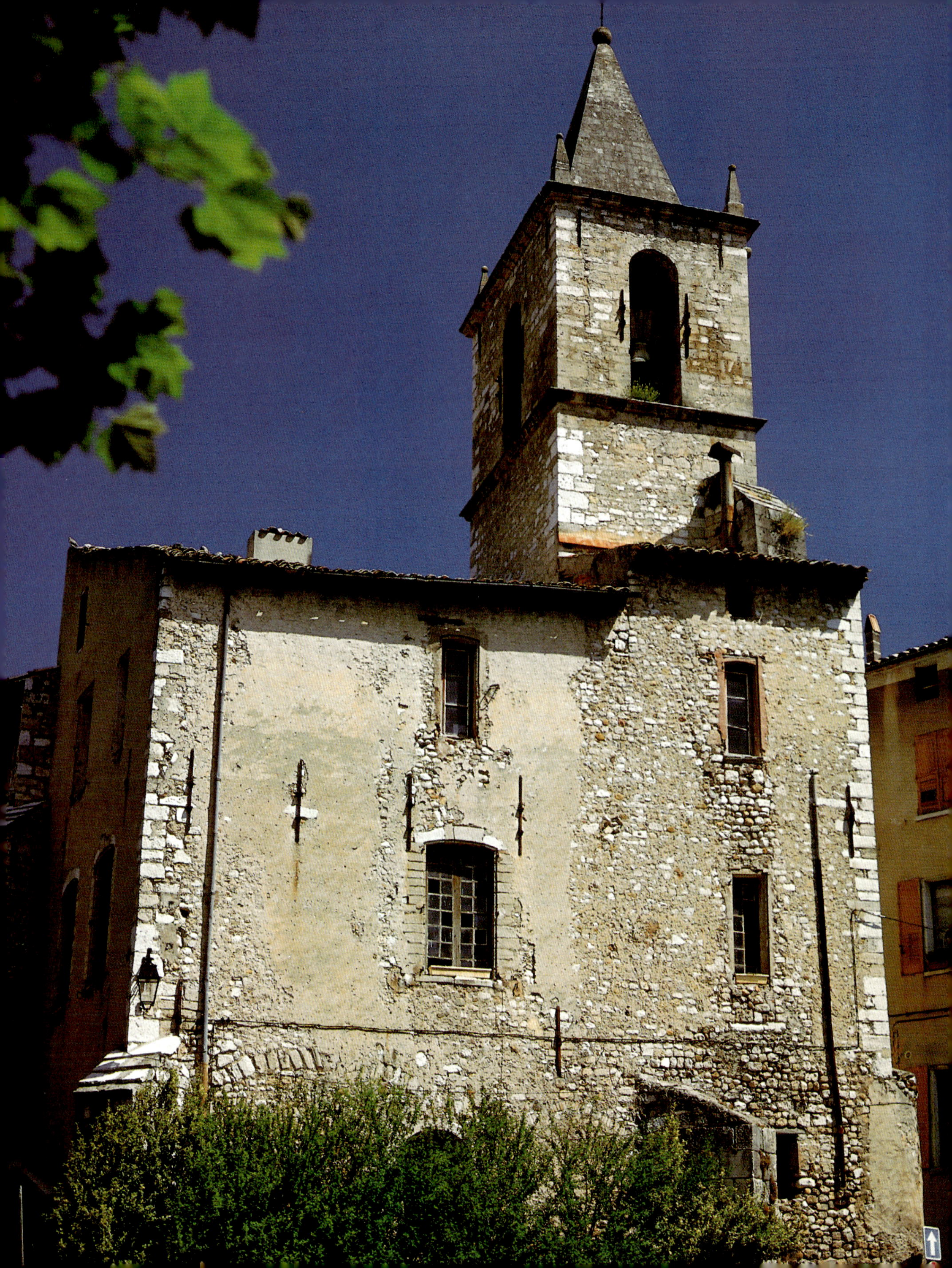

15世紀後半に建てられた、かつての司教座大聖堂（左ページ）。フランス革命後、すべて建て直された。中世の時計台だけが建設当時のまま今も残る。聖堂の外壁にほどこされた壁龕には、サント・マキシムとサント・ヒラリウスをかたどった荒削りな像が（左中央）。
頑丈なアーチ（左上）の向こうに建ち並ぶ立派な家の中には、17世紀の荘厳な扉（左下）があるものも。リエがいかに重要な地だったかがわかる。

右：ほぼ修復されたサント・マキシムの教会。ひっそりと佇み、村を見おろしている。多くの人が日曜礼拝に訪れる。

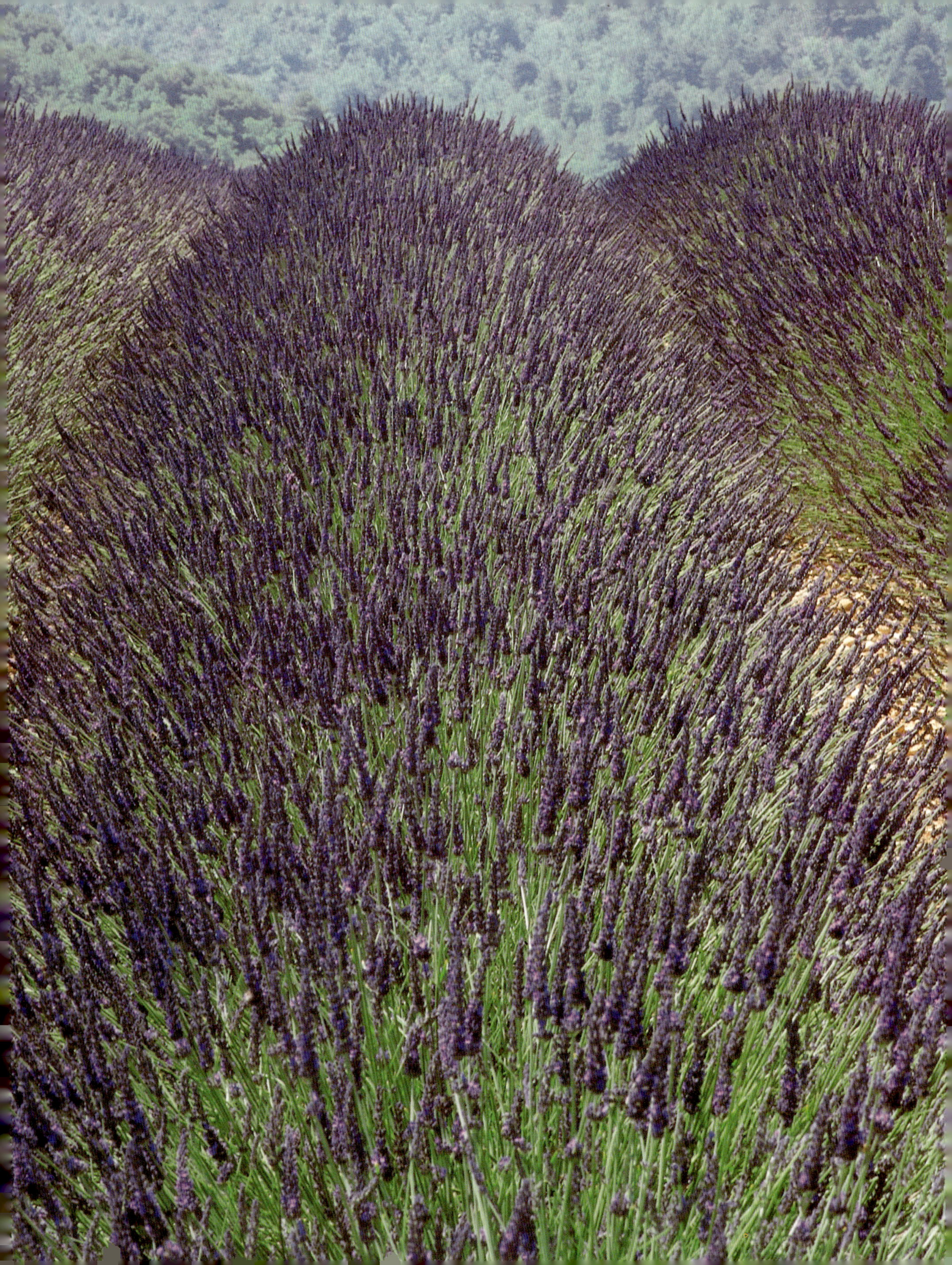

左ページ：リエは定期的にラベンダーの市場が開か
れ、プロヴァンスのラベンダー栽培の中心地として名高
い。ヴァランソル高原を紫色が包みこみ、作家のジャ
ン・ジオノは、この得も言われぬ美しさを讃えてやまなかっ
た。
右：ヴォクリューズ、ヴナスクの噴水。

GARD

- Uzès
- Pont-du-Gard
- **Nîmes**
  ニーム

VAUCLUSE
ヴォクリューズ

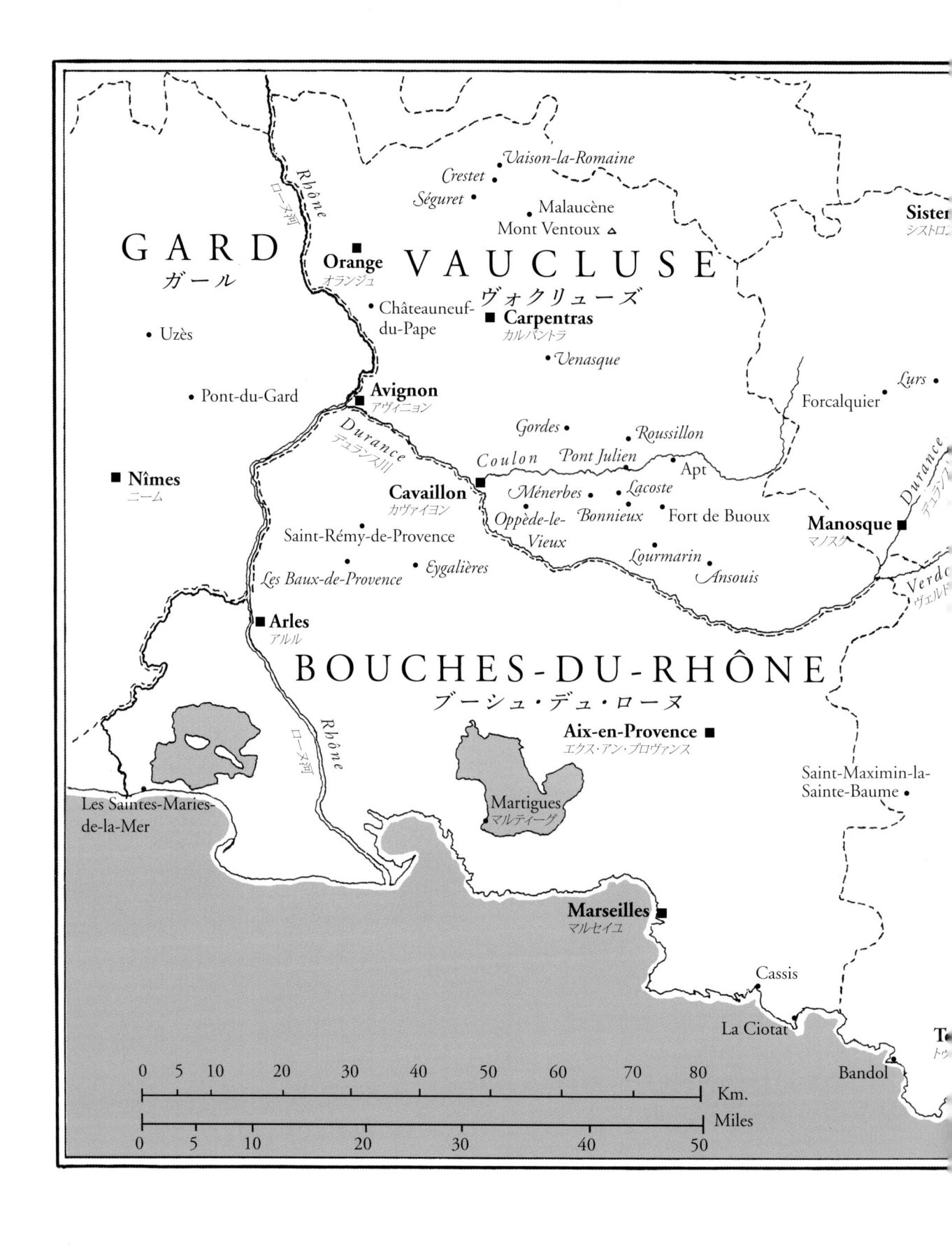

- *Vaison-la-Romaine*
- *Crestet*
- *Séguret*
- Malaucène
- Mont Ventoux △
- **Orange**
  オランジュ
- Châteauneuf-du-Pape
- **Carpentras**
  カルパントラ
- *Venasque*
- **Avignon**
  アヴィニョン
- *Gordes*
- *Roussillon*
- *Coulon* Pont Julien
- Apt
- *Ménerbes* Lacoste
- Oppède-le-Vieux
- Bonnieux
- Fort de Buoux
- **Cavaillon**
  カヴァイヨン
- Saint-Rémy-de-Provence
- *Eygalières*
- *Les Baux-de-Provence*
- *Lourmarin*
- *Ansouis*

Rhône ローヌ河
Durance デュランス川

- Sister...
  シストロ...
- Forcalquier
- *Lurs*
- **Manosque**
  マノスク

Verdo... ヴェルド...

BOUCHES-DU-RHÔNE
ブーシュ・デュ・ローヌ

- ■ **Arles**
  アルル
- **Aix-en-Provence** ■
  エクス・アン・プロヴァンス
- Martigues
  マルティーグ
- Saint-Maximin-la-Sainte-Baume
- Les Saintes-Maries-de-la-Mer
- **Marseilles** ■
  マルセイユ
- Cassis
- La Ciotat
- Bandol
- T...
  トゥ...

Rhône ローヌ河

| 0 | 5 | 10 | 20 | 30 | 40 | 50 | 60 | 70 | 80 | Km. |

| 0 | 5 | 10 | 20 | 30 | 40 | 50 | Miles |

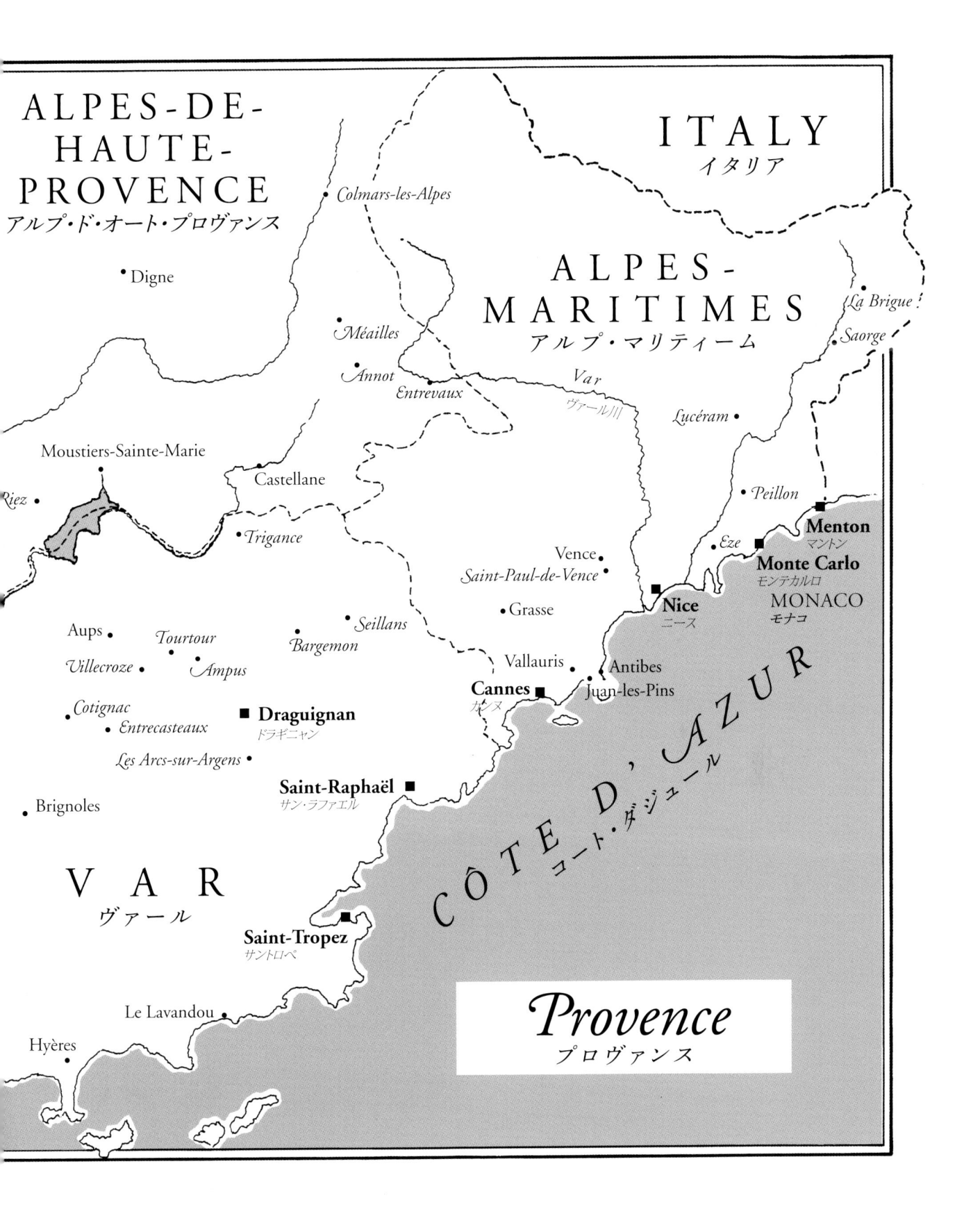

ALPES-DE-HAUTE-PROVENCE
アルプ・ド・オート・プロヴァンス

ITALY
イタリア

ALPES-MARITIMES
アルプ・マリティーム

Colmars-les-Alpes

Digne

La Brigue

Méailles

Saorge

Annot

Entrevaux

Var
ヴァール川

Lucéram

Moustiers-Sainte-Marie

Castellane

Riez

Trigance

Peillon

Vence

Menton
マントン

Saint-Paul-de-Vence

Eze

Monte Carlo
モンテカルロ

Nice
ニース

MONACO
モナコ

Grasse

Aups

Tourtour

Seillans

Vallauris

Villecroze

Ampus

Bargemon

Antibes

Cotignac

Cannes
カンヌ

Juan-les-Pins

Entrecasteaux

Draguignan
ドラギニャン

Les Arcs-sur-Argens

Saint-Raphaël
サン・ラファエル

Brignoles

CÔTE D'AZUR
コート・ダジュール

VAR
ヴァール

Saint-Tropez
サントロペ

Le Lavandou

Hyères

Provence
プロヴァンス

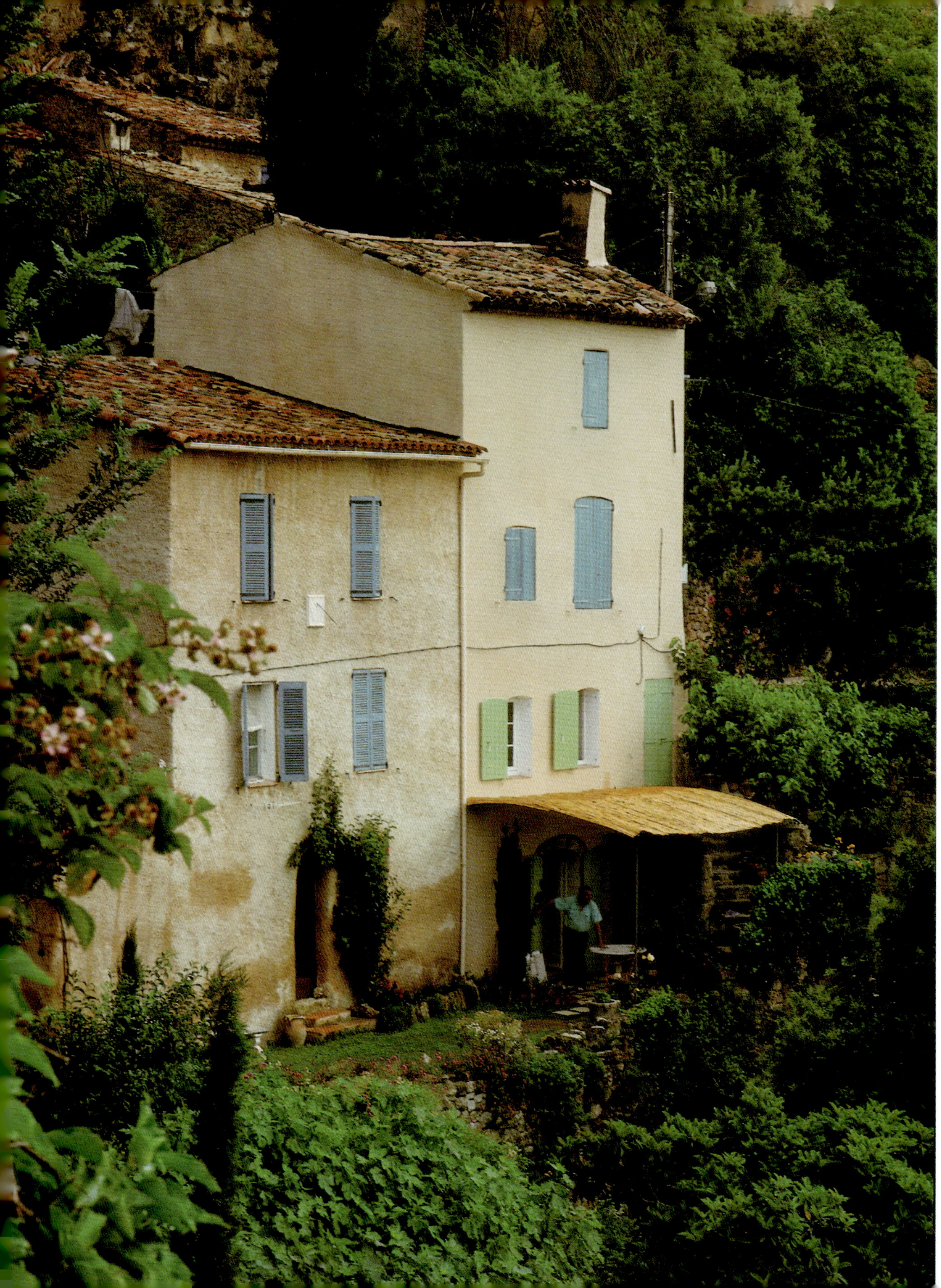

参考文献

左ページ：コティニャック（ヴァール）。石灰華の崖のふもとで、寄り添うように建つ家々。
p.215：プロヴァンスならではの風景。オリーブ畑と葡萄園に囲まれた、ヴォクリューズの丘の村。
p.216：丘の上の村から見た景色。耕された田園の向こうに山が連なる。

AGULHON, Maurice, *The Republic in the Village, The People of the Var from the French Revolution to the Second Republic*, Cambridge, 1982
ALIQUOT, Hervé, *The Alpilles*, Avignon, 1974
ALLEN, Percy, *Impressions of Provence*, London, 1910
BAILLY, Robert, *Dictionnaire des communes: Vaucluse*, Avignon, 1985
BARRUOL, G., *La Provence romane (2): La Haute Provence*, Paris, 1976
BENOÎT, F., *La Provence et le Comtat-Venaissin: Arts et traditions populaires*, Avignon, 1975
BERNARD, Yves, *Annuaire touristique et culturel du Var*, Aix-en-Provence, 1991
BLUME, Mary, *Côte d'Azur*, London, 1992
BORG, A., *Architectural Sculpture in Romanesque Provence*, Oxford, 1972
BRUNI, René, *Lubéron*, Aix-en-Provence, 1984
CHABOT, Jacques, *La Provence de Giono*, Aix-en-Provence, 1982
CHARDENON, Ludo, *In praise of Wild Herbs, Remedies and Recipes from Old Provence*, London, 1985
CLÉBERT, Jean-Paul, *La Provence de Mistral*, Aix-en-Provence, 1980
CLÉBERT, Jean-Paul, *Mémoire du Lubéron* (2 vols.), Paris, 1984
CLÉBERT, Jean-Paul, *Guide de la Provence mystérieuse*, Paris, 1986
COLLIER, R., *La Haute Provence monumentale et artistique*, Gap, 1987
COOK, T. A., *Old Provence*, London, 1905
DURANDY, D., *Mon pays. Villages et paysages de la Riviera* (2 vols.), Paris, 1918
DURRELL, Lawrence, *Caesar's Ghost*, London, 1989
FAUVILLE, H., *La Coste, Sade en Provence*, Aix-en-Provence, 1984
FLOWER, John, *Provence*, London, 1987
GIONO, Jean, *Provence*, Paris, 1957
GIONO, Jean, *Provence perdue*, Paris, 1967
GUINSBERG, S. and E., *The Perched Villages of the Alpes-Maritimes* (3 vols), Aix-en-Provence, 1983

JACOBS, Michael, *A Guide to Provence*, Harmondsworth, 1988
JOUVEAU, R., *La cuisine provençale de tradition populaire*, Berne, 1962
MADOX FORD, Ford, *Provence. From Minstrels to the Machine*, London, 1935
MASSOT, J.- L., *Maisons rurales et vie paysanne en Provence*, Ivry, 1975
MÉDECIN, Jacques, *Cuisine Niçoise, Recipes from a Mediterranean Kitchen*, Harmondsworth, 1983
MEYNARD, Henri, *Lourmarin à la Belle Epoque*, Lourmarin, 1968
MISTRAL, F., *Memoirs of Mistral*, London, 1907
Monuments historiques de Provence-Alpes-Côte d'Azur, Marseille, 1986
PAGNOL, Marcel, *My Father's Glory* and *My Mother's Castle* (combined English-language edition), London, 1988
PAGNOL, Marcel, *The Time of Secrets* and *The Time of Love* (combined English-language edition), London, 1994
PAPON, Jean-Pierre, *Voyage littéraire de Provence* (4 vols.), Paris, 1777–86
POPE-HENNESSY, James, *Aspects of Provence*, London, 1952
REBOUL, J-B., *La cuisinière provençale*, Marseille, 1895
ROUQUETTE, J-M., *La Provence romane (2): La Provence rhodanienne*, Paris, 1974
THEVENON, L., *L'art du Moyen Age dans les Alpes Méridionales*, Nice, 1983
THEVENON, L., *La peinture au XVIIe siècle dans les Alpes-Maritimes*, Nice, 1985
THIRION, J., *Alpes romanes*, Paris, 1980
TORRE, Michel de la, *Alpes-Maritimes, Alpes-de-Haute-Provence, Bouches-du-Rhône, Var*, and *Vaucluse* (from the Nathan series, Guide de l'Art et de la Nature), Paris, 1985
VOVELLE, M., *De la cave au grenier*, Quebec, 1980
WYLIE, L., *Village in the Vaucluse*, Harvard, 1977

ガイアブックスは
地球の自然環境を守ると同時に
心と身体の自然を保つべく
"ナチュラルライフ"を提唱していきます。

著者：
マイケル・ジェイコブズ (Michael Jacobs)
ヨーロッパの旅に関する著書多数。主な著書は『Penguin Guide to Provence』など。

撮影：
ヒュー・パーマー (Hugh Palmer)
イギリスを代表する写真家。主に、建造物や庭園の撮影を手がける。

翻訳：
一杉 由美 (いちすぎ　ゆみ)
慶應義塾大学文学部卒業。専攻は英米文学。訳書に『サイクルペディア　自転車事典』（ガイアブックス）がある。

The Most Beautiful Villages of Provence
世界で一番美しい村 プロヴァンス

発　　行　2013年5月15日
発 行 者　平野　陽三
発 行 所　株式会社ガイアブックス
　　　　　〒169-0074 東京都新宿区北新宿 3-14-8
　　　　　TEL.03(3366)1411　FAX.03(3366)3503
　　　　　http://www.gaiajapan.co.jp

Copyright GAIABOOKS INC. JAPAN2013
ISBN978-4-88282-868-6 C0065

落丁本・乱丁本はお取り替えいたします。
本書を許可なく複製することは、かたくお断わりします。
Printed and bound in China by Everbest Printing Co. Ltd.